50 TONS PARA O SUCESSO

J. EDINGTON

Unipro Editora

Agir

2015 • RIO DE JANEIRO

direção geral: paulo lopes

direção de conteúdo: vanessa lampert

gerente editorial: vera léa camelo

editor: f gustav schmid

coordenação de criação: rafael brum

capa: rafael nicolaevsky

projeto gráfico: rafael brum

assistente editorial: regina dias

1ª edição | 4ª impressão | gráfica: edigráfica | tiragem: 110.000

E21T

Edington, J.
50 tons para o sucesso / J. Edington. - 1ª ed.
Rio de Janeiro: Unipro Editora / Agir, 2015.
256 p.; 23 cm.

ISBN 978-85-2203-229-7

1. Transformação de vida. 2. Determinação - Atitude - Perseverança.
I. Título.

15-00008 CDD: 270

Unipro Editora - www.unipro.com.br
Estrada Adhemar Bebiano, 3.610 — Inhaúma
CEP 20766-720 — Rio de Janeiro — RJ
Tel.: (21) 3296-9300

Agir é um selo da Editora Nova Fronteira Participações S.A., uma empresa do Grupo Ediouro Publicações
Editora Nova Fronteira Participações S.A.
Rua Nova Jerusalém, 345 — CEP 21042-235
Bonsucesso — Rio de Janeiro — RJ
Tel.: (21) 3882-8200 Fax: (21) 3882-8212/8313

Sumário

Prefácio

QUANDO FUI CONVIDADO para prefaciar este livro, sabia que não era uma obra qualquer. Acompanho o trabalho de J. Edington há muitos anos e a ideia de registrar em um livro os ensinamentos que fizeram pessoas desacreditadas se transformarem em profissionais de sucesso me pareceu excelente. Qualquer pessoa, em qualquer lugar do mundo, poderá ter acesso ao conteúdo que faz diferença para os que frequentam suas palestras.

Porém, ter acesso ao conteúdo não significa que ele irá mudar a sua vida. Este não é um livro que você pode ler como se assistisse a um filme. Se realmente quer absorver tudo o que esta obra tem a oferecer, meu conselho é que aplique seu espírito a todos os capítulos.

Em meu trabalho, aconselho muitos que dizem querer uma vida melhor, mas nem todos alcançam aquilo que querem. Por que será?

Todo mundo quer ter sucesso. Ninguém quer ser fracassado. Existe um número incontável de livros de negócios ensinando a ser um bom líder, a ser bem-sucedido no trabalho e até alguns que prometem ao leitor o caminho para se tornar milionário. Porém, sucesso é muito mais do que ganhar dinheiro ou ter um título de destaque e creio que é esse o diferencial deste livro. Ele fala do sucesso em todos os seus tons, em todas as nuances. Se você conseguir alcançar o sucesso no mais íntimo do seu ser, ele vai se espalhar por todas as áreas da sua vida.

Este não é um livro para quem conta com a sorte, mas para quem já cansou de ser escravo, de se sentir humilhado e quer fazer alguma coisa para mudar sua situação. O leitor que vai aproveitar melhor o conteúdo desta obra é aquele que acha que já tentou de tudo, sem resultado, como se fosse destinado a nadar, nadar e morrer na praia. Agora, sente que não tem mais nada a perder. Por que, então, não tentar fazer o que nunca fez? O que lhe falta é entender como provocar a transformação da sua vida, de dentro para fora.

Nada acontece de maneira acidental. Ainda que diga que só um milagre é capaz de transformar sua vida, não espere uma luz vinda do céu tocar seu coração e mudá-la. Se eu quero um milagre, tenho que provocar. E o livro mostra como provocar esse milagre.

Como um mendigo se torna empresário de sucesso? Como uma criança traumatizada, vítima de abuso, se torna uma mulher confiante? Como uma pessoa sem ensino formal é capaz de colaborar na formação de universitários? Como alguém pode se tornar inspirador e não apenas ter sucesso em uma ou outra área, mas ser uma fonte de sucesso capaz de influenciar todos ao seu redor? Com atitudes de qualidade!

Como pode esperar resultado de qualidade em sua vida se não há qualidade em seu trabalho? Como esperar uma vida diferente com as mesmas atitudes? Ainda que você creia que Deus pode mudar sua história e se aplique à oração, se a sua atitude não corresponde à sua oração, esqueça. Os resultados só mudam quando as atitudes mudam. E as atitudes só mudam quando os pensamentos mudam. Os pensamentos só mudam quando o interior muda. E o interior só muda quando há decisão. Uma transformação de padrões. Você, que era guiado por suas vontades, agora passa a se guiar por uma decisão.

Se começou a ler este livro, já existe uma fagulha de decisão dentro de você. A decisão de mudar, de não ser mais o mesmo, de fazer o que for preciso para ter uma vida diferente. E até a menor fagulha é capaz de incendiar uma floresta. Só o fogo acende o fogo.

Essa pequena força que você nem sabia que tinha será o ponto de partida para fazê-lo absorver os ensinamentos deste livro e construir sua trajetória de sucesso.

Ao entender exatamente o que é sucesso e quais são as nuances que fazem uma pessoa bem-sucedida, você conseguirá manter essa chama acesa. Conseguirá manter firme a sua decisão, independentemente das situações ao redor e dos seus sentimentos, que são inconstantes e têm feito você viver em uma montanha russa.

Eu tive um início de vida de fracassos. Nasci em uma família desestruturada e, ainda muito jovem, me envolvi com drogas e entrei na vida do crime. Não tinha mais perspectiva de futuro. Um dia, um amigo me deu um livro que me abriu os olhos para o que eu estava vivendo. Eu despertei para a possibilidade de mudança. Um livro foi minha porta de saída do fracasso e a porta de entrada para que eu descobrisse o que era sucesso. *"50 tons para o sucesso"* tem todos os requisitos para fazer o mesmo por você. E estou certo de que o fará.

CLODOMIR SANTOS, IDEALIZADOR DO PROGRAMA
FALA QUE EU TE ESCUTO, DA REDE RECORD.

Introdução

O que é sucesso?

Quando pensa em "sucesso", o que vem à sua mente? Dinheiro? Carros? Viagens internacionais? Nossa sociedade atual é orientada ao consumo, por isso, provavelmente as primeiras coisas em que você pensou foram itens que o dinheiro pode comprar ou ampliar. Também é orientada a sensações e sentimentos, então você pode ter pensado em alguma definição emocional, como "felicidade" ou "sensação de bem-estar".

No entanto, uma pessoa que tem muitos bens materiais, mas é emocionalmente descontrolada e não consegue ser feliz na vida amorosa, pode ser considerada uma pessoa de sucesso? Eu creio que ninguém a consideraria assim. Sucesso é um conjunto de fatores. A maioria deles depende exclusivamente de cada um de nós. O que eu entendo por "sucesso" é alcançar a excelência nas principais áreas da vida.

Ter estabilidade emocional e financeira, manter amizades saudáveis, ser feliz no casamento, ter um bom relacionamento com seus colegas, alcançar e superar suas metas, se manter progredindo... perceba que o sucesso é feito de verbos, de ação, de movimento. Sucesso não é um local de destino, é o processo, o desenvolvimento.

Se realmente for uma pessoa de sucesso, você nunca vai achar que alcançou o sucesso pleno. Você sabe que é uma obra em andamento.

Minha proposta é mostrar a você o caminho para o sucesso. Eu acredito no impossível, no improvável, no poder da fé, no poder da palavra. Acredito até em milagres. E, por isso mesmo, preciso deixar algo bem claro a você: milagre não é mágica. Depois que criou o ser humano, Deus nunca mais fez coisa alguma sem a participação do homem. Se você está lutando sozinho e não tem tido resultado proporcional ao seu esforço, é necessário entender exatamente o que está errado.

Não se preocupe em mudar pessoas ou situações à sua volta, em conseguir um novo emprego ou em abrir seu próprio negócio. Sinto informar, mas abrir uma empresa não vai mudar sua vida. Uma promoção não vai mudar sua vida. Um novo chefe não vai mudar sua vida. A única forma de mudar sua vida é mudando a si mesmo. Mas, é claro, vai precisar de uma fonte externa a você para orientá-lo durante essa mudança. Alguém que o conheça muito bem e que saiba aonde você quer chegar.

O sucesso foi idealizado por Deus. Sendo Ele o ser mais perfeito que existe, criador de todas as coisas boas, inspirador do maior best-seller de todos os tempos e idealizador de tudo o que realmente funciona no universo, acredito que temos muito a aprender com Sua forma de pensar.

Por isso, muitas vezes irei recorrer ao que Ele determinou que funciona. É o que chamo de "inteligência espiritual": a inteligência de Deus. Creio que temos muito a aprender com essa sabedoria milenar, que tem provado que funciona, desde os antigos judeus até os dias de hoje.

Não é à toa que uma nação tão antiga e tão perseguida tenha tantas histórias de vitórias militares, tenha caído e se levantado tantas vezes, escapado do exílio e de inúmeras tentativas de extermínio e se firmado, por milhares de anos, como geradora das mentes mais criativas e transformadoras da humanidade. Mentes incontestavelmente brilhantes como Albert Einstein, Steven Spielberg, Mark Zuckerberg, Franz Kafka e Joseph Pulitzer fazem parte da lista dos judeus mais influentes da História, sem contar o próprio Jesus. Mesmo representando menos de 1% da população mundial, os judeus receberam cerca de 20% de todos os prêmios Nobel dados até hoje. Se isso não é sucesso, eu não sei o que é!

Não é minha intenção convertê-lo a alguma religião ou igreja, nem citar versículos a todo momento, mas seria injusto de minha parte não falar do que funciona. Não estou falando de religião. É importante que você entenda que a base para a transformação de sua vida é muito mais profunda do que ter fé em si mesmo, ter uma religião ou acreditar que Deus existe. Se aprender a desvendar os segredos da inteligência espiritual, você e sua vida serão transformados de uma maneira que jamais imaginou ser possível.

O que mais gosto nos relatos bíblicos é a quantidade de vezes que você vê coisas impossíveis acontecendo. E nenhuma dessas coisas aconteceu por mágica, mas pelo uso prático da inteligência espiritual. É como se houvesse dois mundos: o mundo visível, que podemos experimentar por nossos cinco sentidos, e o mundo invisível, onde as coisas acontecem primeiro, antes que possamos ver.

Todas as segundas-feiras eu faço uma palestra que atualmente chamamos de "Congresso para o Sucesso". Nela, recebemos milhares de pessoas todas as semanas, com diversos problemas, em busca de uma saída. Depois de algum tempo ouvindo as palestras e praticando o que ensinamos, elas voltam para contar suas histórias de superação e, assim, motivar outras pessoas.

Normalmente, as histórias têm algumas semelhanças: eram pessoas desacreditadas, infelizes e que acreditavam no fracasso que viviam. Então, elas começam a ouvir as histórias de superação de outras pessoas no Congresso, despertando sua inteligência espiritual, e pensam: "se aconteceu com os outros, pode acontecer comigo também!". Prestam atenção às palestras, entendem que precisam lutar contra os problemas, tornam-se conscientes de suas ações e reações.

Em vez de crer no fracasso que veem, passam a crer na vitória que perseguem. Elas tiram a vitória de onde não havia saída e, por isso, têm uma história de superação real para contar, que, ao ser resumida (o tempo é sempre muito curto para contar todos os detalhes), chega a parecer absurda. Como alguém que dormia na rua, em cima de um papelão, se transforma em empresário? Como quem morava em um barraco hoje tem uma mansão, carros na garagem e uma profissão digna?

Antes mesmo que algo acontecesse, elas se transportaram para o mundo daqueles com quem algo extraordinário aconteceu. Em sua mente, já faziam parte do time dos vencedores. Em vez de pensarem: "puxa, por que essas coisas não acontecem comigo?" e se vitimizarem (o que é uma atitude negativa), pensaram: "se aconteceu com eles, vai acontecer comigo também!"

Naquele momento, passaram a *esperar* que aquilo acontecesse com elas. Ao agir, seguindo as orientações que ouviam, mostraram que estavam *crendo* naquilo que esperavam. Ainda não viam nada acontecendo em sua vida, mas, porque tinham convicção de que aconteceria, passaram a *agir* de acordo com a convicção que tinham. A vida mudou porque a mente mudou.

Essa mudança também acontecerá com você, ao colocar em prática todos os tons do sucesso, um por um. Não tenha pressa, apenas procure entender cada explicação. Se estiver aberto a entender e praticar, naturalmente os resultados aparecerão.

Por que 50 tons?

Cada capítulo é um tom. Cada tom representa um aspecto do sucesso. Assim como, para colorir uma paisagem realista, um artista utiliza vários tons de diversas cores, para alcançar o sucesso é necessário observar vários aspectos diferentes. Um pouco desse, outro pouco daquele, uma pincelada daquele outro... e você irá transformar sua vida em uma obra de arte.

O número 50 remete a algo muito especial na Bíblia. Era o ano do Jubileu: "*Santificareis o ano quinquagésimo e proclamareis liberdade na terra a todos os seus moradores; ano de jubileu vos será, e tornareis, cada um à sua possessão, e cada um à sua família*" (Levítico 25.10).

Você acredita que não é escravo, afinal de contas, recebe pelo seu trabalho. Porém, qualquer coisa que roube de você o direito de viver a sua vida da melhor forma possível, o escraviza. Pode estar sendo escravizado pelo medo, pelas dívidas, pela ansiedade, pela depressão, pelo desânimo, pelo fracasso ou por qualquer outra situação da qual não consiga sair. Medite em cada um desses capítulos e pratique o que aprender. Estou convicto de que, ao término desses 50 capítulos, você poderá comemorar o seu ano do Jubileu, o ano da liberdade.

1º tom: Sucesso e reclamação não combinam

A reclamação é uma praga que tem se alastrado em nossa sociedade. Muito desse hábito vem do fato de que, ao reclamar, você tem a sensação de estar fazendo alguma coisa pela sua situação, mas com pouco ou quase nenhum esforço. É muito mais fácil reclamar do que efetivamente agir para mudar a situação.

Reclamar vicia. E começa cedo. Em um primeiro momento, a criança que reclama recebe atenção dos pais, dos professores, de todo mundo. Parece uma coisa boa, o que a leva a criar o hábito de reclamar. Porém, com o passar do tempo, a pessoa que reclama fica chata. E acaba sozinha.

Ninguém aguenta a pessoa que reclama da vida. Ela fica chata, azeda, porque só abre a boca para se queixar em vez de ir em frente. É como se ela fosse vítima da situação. É muito mais fácil se enxergar assim, porque você tem a falsa sensação de que não tem responsabilidade por nada do que acontece. Se der certo, é culpa da sorte. Mas se der errado, é culpa do azar, da vida, do mundo, dos outros, de qualquer coisa, menos sua. Assim, não se sente tão mal quando fracassa.

Ao reclamar, mostra que não teve nada a ver com isso. Quer acreditar que a culpa não é sua. Talvez até convença alguém. Talvez consiga a compaixão de outras pessoas reclamando. Ou talvez você fique tão chato que as outras pessoas prefiram nem discutir. Aí, parece que a reclamação deu certo. E o vício continua.

É como se, no mundo inteiro, nenhum problema fosse tão complicado quanto o seu. Você até consegue ver problemas piores em outras pessoas, mas seus olhos logo se direcionam a alguma coisa que faz com que o seu pareça ter menos solução, ou sua atenção se desvia para alguma vantagem que a pessoa tem sobre você.

O rapaz é tetraplégico, mas ele está vencendo na vida porque, afinal de contas, teve uma família unida. Já eu — você pensa — *nasci em um lar desestruturado, tive uma infância complicada...* Ou a moça teve uma infância difícil e hoje venceu na vida — *mas também* — você argumenta — *ela teve sorte e conseguiu estudar enquanto trabalhava. Eu tive problemas de saúde e não pude concluir a faculdade.* Assim, dando desculpas para o seu fracasso, você se treina a nunca encontrar uma saída para seus problemas.

Porque é isso o que a reclamação faz com a pessoa: aprisiona em uma sequência infinita de fracassos. Você vai criando um padrão de desgraça na sua vida, sem perceber. E o contrário também é verdade. Quando deixa de reclamar e se concentra no que pode *fazer* para resolver o problema, você começa a criar um padrão de sucesso que vai transformar a sua vida.

A escritora Maya Angelou nasceu pobre e negra nos Estados Unidos, em 1928, uma época de grande segregação racial naquele país. Para piorar sua situação, sofreu um trauma terrível na infância, foi violentada pelo namorado da mãe pouco antes dos oito anos de idade. Quando ela contou à família o que havia acontecido, ele foi espancado até à morte. Em sua lógica infantil, ela deduziu que sua voz tinha matado aquele homem. Profundamente traumatizada e se sentindo culpada, parou de falar e permaneceu muda por quase seis anos.

Mesmo com um início de traumas e dificuldades que fizeram sua vida começar mais complicada do que a vida já complicada dos negros norte-americanos daquela época, Maya construiu uma história memorável. Aos 16 anos foi a primeira motorista de bonde da cidade de San Francisco. Depois, perseguindo seus sonhos, começou a construir sua carreira artística. Foi cantora, compositora, atriz, roteirista, escritora e poetisa. Escreveu inúmeros livros, inclusive autobiográficos, sem medo de expor sua história. Na década de 50, juntou-se a Martin Luther King Jr. na luta pelos direitos civis, contra a segregação racial.

Negros não podiam frequentar os mesmos lugares que brancos e eram vistos como seres inferiores. Martin Luther King Jr. e sua esposa tiveram o apoio e amizade de Maya na luta contra a injustiça e o preconceito. Maya viu seu amigo ser assassinado no dia em que ela completava 40 anos, mas, em vez de desistir, engajou-se ainda mais na sua luta.

Ela queria ajudar outras pessoas. Queria que outros negros entendessem que poderiam mudar sua história, não precisavam se curvar ao que o sistema havia escrito para eles. Maya não fez faculdade, mas recebeu mais de 30 títulos honorários e foi professora universitária durante anos. Foi homenageada inúmeras vezes em vida, inclusive pelos presidentes Bill Clinton e Barack Obama, que se tornaram seus amigos.

Sua influência era tão grande que, quando morreu, em 2014, Obama afirmou que ela foi *"uma das luzes mais brilhantes da nossa época"* e a apresentadora Oprah Winfrey, de quem também foi amiga, resumiu: *"Quando aprender, ensine. Quando tiver, dê. Essa é uma das melhores lições que aprendi com Maya"*.

Uma mulher extraordinária, que venceu dificuldades inimagináveis dentro de si mesma e também na sociedade, lutou por seus sonhos e mudou a história que a situação ao redor tentou criar para ela. Maya disse, certa vez: *"Se você não gosta de alguma coisa, mude-a. Se você não pode mudá-la, mude sua atitude. Não reclame"*.

Aqui está a resposta. Sempre que um problema surgir — qualquer problema, em qualquer área, e você perceber o velho hábito de reclamar brotando em sua mente, pense: o que posso fazer para mudar essa situação? Pense em uma atitude que pode tomar para melhorar o quadro, por menor que seja essa atitude. Provavelmente há algo que você possa fazer. Porém, se não houver, mude sua atitude em relação ao problema. Isso está sempre ao seu alcance. Sua forma de reagir às situações determina seu sucesso ou fracasso. Quando tudo em sua vida parece ter saído do seu controle, saiba que a única coisa que ninguém pode tirar do seu controle é isso: sua capacidade de escolher qual reação vai ter.

Entenda que, se reclamar é um hábito que você aprendeu, é possível desaprender. Hábitos são assim. A gente aprende e desaprende. Elimina um desenvolvendo outro. Se está acostumado a reclamar, comece a se monitorar para trocar a reclamação por ação. Sim, pense sobre a palavra "reclam**ação**". A "ação" está no final. Se estivesse no começo, a pessoa não reclamaria! *Ação* é o antídoto contra a *reclamação*. Se não puder fazer nada a respeito da situação, adianta reclamar? Mude, então, sua postura diante do problema, sua forma de enxergá-lo. Decida que tudo, absolutamente tudo, irá trabalhar para o seu bem. Se não puder reverter a situação, aprenda com ela. Alguma coisa boa irá surgir dali. A escolha é sua.

A sua inteligência é um farol que ilumina a sua vida, mas não faz você andar, está cheio de gente inteligente no buraco. O que faz você andar é escolher reagir positivamente, independentemente das circunstâncias. É com guerra, com luta, com força de vontade que você vai ver alguma coisa mudar na sua vida, e não com reclamações.

Todo mundo tem lutas, mas a vitória não é para todo mundo. Vitória é só para quem persevera. Quem quiser abraçar a reclamação vai ter que se conformar com uma vida limitada e com a reputação de ser uma pessoa chata e cansativa. E, agora, já descobriram que essa prática pode fazer muito mal à saúde.

Uma pesquisa recente da Universidade de Stanford mostrou que uma pessoa que é exposta a 30 minutos diários de reclamações acaba sofrendo danos físicos em seu cérebro. A reclamação danifica neurônios na área do cérebro responsável pela resolução de problemas. Os neurônios são literalmente "descascados" pelas reclamações. Isso é muito sério. Imagina só o que pode acontecer com alguém que tem neurônios danificados justamente na parte responsável por resolver problemas? Quer dizer, quanto mais você reclama ou convive com pessoas que reclamam, mais difícil vai ser para resolver os problemas.

Além de tudo isso, o estudo comprovou que reclamar também drena a energia da pessoa. Por isso, ouvir reclamações nos deixa tão exaustos. E talvez seja por isso que você termine o dia se arrastando para casa.

Então, não se deixe levar por reclamações dos outros e comece a se policiar para não virar um descascador de neurônios. Busque alternativas para resolver a situação ou para encará-la de uma maneira positiva. Aprenda a usar suas palavras e seus pensamentos a seu favor. Se sua mente não pensar em coisas boas, irá pensar em coisas ruins. E quem escolhe é você.

2º tom: O tempo é precioso

Todos nós fomos presenteados com 24 horas diárias. Ninguém tem mais, ninguém tem menos. Talvez por saberem que essas 24 horas são certas, algumas pessoas não dão nenhum valor a elas. Mas, se você quer ter sucesso, precisa saber valorizar seu tempo. Pense nessas suas 24 horas como algo extremamente precioso. Algo que você deve dar apenas a quem realmente merece. Então, analise como as tem gasto. Lendo revista de fofoca? Assistindo a um programa de TV que é apenas entretenimento? Jogando videogame? Acompanhando a vida alheia nas redes sociais? Depois você se pergunta por que "não tem tempo" e por que sua vida não vai para frente.

Tempo você tem — todo mundo tem. Só falta entender o que tem feito com ele e descobrir como aproveitá-lo de maneira inteligente e construtiva. Aprenda uma coisa: em todo momento da sua vida, ou você está ganhando, ou está perdendo. E não falo apenas de bens materiais, não. Ou você desenvolve, ou atrofia. O que parece meio-termo é só aquele momento em que você está atrofiando sem perceber.

Se você reclama, fofoca, se envolve em conversas inúteis ou negativas, está atrofiando. Está enchendo sua cabeça de abobrinhas que não o ajudarão em nenhuma área da sua vida. Para que gastar tempo assim?

O ser humano gasta sem perceber. Gasta tempo, gasta dinheiro, gasta saúde. Antes de pensar em alterar seu cardápio, em controlar seus gastos ou reorganizar seu tempo, você precisa entender o seu comportamento atual. Suas atitudes precisam sair do nível inconsciente, irracional e emocional e vir para o nível consciente.

Uma boa forma de fazer isso para controlar a alimentação, por exemplo, é usar uma caderneta para anotar tudo o que você come. Horário, quantidade e tipo de comida. Faça isso por uma semana. No final desse período, você terá uma ideia mais clara de como tem se alimentado e do que precisa mudar. Da mesma forma, se o dinheiro tem faltado no final do mês, anote tudo o que gasta, até os centavos, dizendo exatamente o que comprou ou pagou e o horário, para identificar seu padrão de gastos e conseguir entender onde está indo o dinheiro. Pode ser trabalhoso fazer isso no começo, mas é libertador ter consciência do seu comportamento.

Anote o que faz com seu tempo durante uma semana, para entender onde o está desperdiçando. Sempre que mudar de atividade ou que fizer uma pausa para outra coisa, marque o horário e o que começou a fazer. Retome o controle do seu tempo, entenda que você é responsável pelo que faz com cada minuto e com cada hora que recebeu. Outra maneira de se tornar consciente é escolher em que vai usar seu tempo e seguir seu planejamento à risca.

Jim Whitehurst, presidente da empresa de tecnologia *Red Hat* contou, em um artigo sobre produtividade, que separa alguns minutos no domingo para escrever suas metas para a semana, que sempre têm a ver com os objetivos maiores que ele definiu para o ano. Assim, ele não perde seu foco. A cada semana faz algo que o ajuda a chegar aonde quer. Ele está indo para algum lugar. E esse é um dos grandes segredos para o sucesso: saber para onde está indo e seguir em direção ao que se quer.

Jim explica que não demora muito tempo nesse planejamento semanal, geralmente leva apenas 15 minutos para definir (ou relembrar) as metas que vai perseguir durante a semana, incluindo todas as coisas que precisa fazer: *"esse pequeno tempo de pré-planejamento define muito do 'como' eu gasto meu tempo durante a semana. Isso garante o foco nas coisas importantes que ajudam a conduzir nossos negócios e me faz ser cuidadoso com meu tempo"*.

A atitude de Jim é um exemplo de organização consciente do tempo. Ele para e planeja por alguns minutos e, depois, usa de forma inteligente os próximos sete dias para colocar em prática o que planejou. Note como isso é uma prova de equilíbrio.

Pessoas de sucesso não se deixam levar pela correnteza, não permitem que os outros definam como seu tempo será utilizado. Quando você está sempre disponível nas redes sociais e nos comunicadores instantâneos, está entregando aos outros o poder de definir como suas horas serão gastas. Você perde o controle. É como se saísse da cabine de comando e deixasse sua vida à deriva.

Estudos acadêmicos sobre a ciência da interrupção (sim, existe essa ciência) demonstraram que, atualmente, um trabalhador normal muda de tarefa a cada três minutos, e, uma vez interrompido, demora entre 20 e 30 minutos para retomar a tarefa anterior. Um dos estudos conduzidos pela pesquisadora Gloria Mark, da Universidade da Califórnia, revelou que cada empregado passava cerca de 11 minutos em um projeto antes de ser interrompido. As consequências são desastrosas e podem ser ainda mais graves quando se trata de um trabalhador da área de saúde ou de segurança, por exemplo. Qualquer distração pode ser mortal.

Essa situação tem se agravado por conta do mau uso dos smartphones e pela dificuldade que as pessoas têm de lidar racionalmente com a avalanche de informações e estímulos lançados sobre elas a cada minuto.

Agora, pense nas conclusões desses estudos. Se não cuidar, a pessoa muda de tarefa a cada 3 minutos, sendo distraída por si mesma. Quando finalmente consegue se concentrar, essa concentração dura apenas 11 minutos antes de ser interrompida por alguém pessoalmente, por celular, e-mail ou qualquer coisa assim.

Por isso, a única maneira de ser uma pessoa produtiva é tomar as rédeas da sua vida, decidindo de forma consciente como o seu tempo será utilizado. As distrações só ocorrem quando você permite.

Conheço quem diz não ter tempo para ler um livro, mas tem tempo para ver novela, para ler revista de fofoca, para ver porcaria na internet ou jogar conversa fora. Por favor, seja honesto. Não diga que não tem tempo. Até porque, se disser isso, estará dando uma ordem ao seu cérebro. Ele, então, fará o máximo que puder para cumprir a ordem, fazendo você se enrolar em cada tarefa e se distrair com muita facilidade. Infelizmente, é assim que funciona. Declare alguma coisa e seu cérebro vai se esforçar para fazer com que aquilo se torne realidade.

Então, mude de atitude. O mesmo tempo que gasta com coisas inúteis pode ser dedicado a coisas úteis como ler um bom livro ou fazer um curso importante. Pense que você tem essas horas preciosas à sua disposição e que, dentro delas, pode realizar o que sempre quis. Basta saber escolher bem o que irá ocupá-las.

Quando valoriza o seu tempo, aprende a priorizar e a fazer primeiro as tarefas mais importantes. As tarefas mais importantes geralmente não são as mais urgentes, mas, sim, as que lhe dão mais vontade de deixar para amanhã. Se essa tarefa for concluída, seu nível de energia aumentará tanto que você não chegará do escritório exausto.

Enxergar o trabalho como algo estimulante é também uma forma de fazer seu tempo render mais. Pense no trabalho como um jogo de metas, estabeleça pontuações, torne-se o melhor jogador. Pense em tempo como dinheiro, saiba o valor de cada minuto. Defina o que irá fazer nos próximos dez minutos e faça. Existem milhões de maneiras de lidar melhor com as 24 horas que lhe foram confiadas e cabe a você descobrir a mais eficiente para a sua situação.

Se você se sente sobrecarregado, possivelmente é porque tem deixado acumular trabalho. Seja na empresa, seja em casa, seja em qualquer área da sua vida. Tudo o que deixa acumular, forma uma pilha que, rapidamente, se transforma em uma montanha. Se cair em cima da sua cabeça, já era.

Não adianta ficar fazendo drama, reclamando e pensando que só as férias resolverão seu problema. É bem provável que você já tenha tirado férias várias vezes e continue sobrecarregado. Férias não fazem milagres. Organização e disciplina, fazem.

3° tom: Ninguém anda para frente olhando para trás

Se você deseja alcançar o sucesso, mas insiste em ficar olhando para o passado, se lamentando pelo que não deu certo, pensando naquilo que perdeu ou se culpando por alguma coisa, sabe quando vai conseguir alcançar o que quer? Nunca! Porque olhar para trás paralisa. Olhar para trás é receita certa para cultivar dúvidas e medo do futuro. Qual é o tipo de pensamento que vem à sua mente quando pensa no que não tem mais? Seja honesto. São pensamentos positivos? Duvido. Ficar pensando na morte da bezerra não leva a lugar nenhum.

O passado só serve para a gente ver o que funcionou, o que não funcionou, fazer um balanço, colocar o aprendizado na mochila e seguir em frente, sem olhar para trás. O que não funcionou, você aprende a não fazer mais e o que funcionou, aprende a repetir (desde que tenha sido algo certo e dentro da lei). Mas, ficar alimentando nostalgia, tristeza, flashbacks e remorso é desperdiçar energia que poderia ser melhor empregada.

A inteligência espiritual olha para frente. Ela faz você projetar seus pensamentos para o futuro. É a certeza de coisas que se esperam. É a convicção de fatos que não se veem. Você enxerga algum passado nisso? Jesus estava com fome e viu uma figueira que não tinha frutos. Imediatamente, determinou que não nasceria mais nada dela (Mateus 21.18-22) e seguiu em frente. Ele não ficou pensando: *"puxa, não tinha nenhum fruto naquela figueira. Eu estava com fome...por que não apareceu nenhum fruto? Será que eu fiz certo? Será que eu deveria ter feito de outro jeito?"* Percebe? Começar a remoer o passado inevitavelmente leva a dúvidas e insegurança. Um veneno para o poder transformador.

Não importa o que aconteceu no passado, se você estudou ou se não estudou, se perdeu ou se ganhou, se nasceu em berço de ouro ou em um barraco. Também não importa o que está passando hoje, se a situação está ruim ou se não tem mais o que piorar. Não são os fracassos que determinam o seu futuro. O fracasso pode até atrasá-lo um pouco, mas isso não significa a sua derrota. Muitos fracassaram antes de alcançarem o sucesso. O fracasso é uma situação temporária. Só as atitudes que você decide ter hoje podem mudar todo o panorama da sua vida.

Se faz o que é certo, vai colher o que é grande. Se faz o errado, compromete seu futuro. Neste exato momento, o seu futuro ainda não existe, ele está para ser construído. Não há destino traçado. Deus não revela o que vai acontecer. Existem milhões de possibilidades, cada uma delas é capaz de criar uma realidade e é você quem escolhe qual dessas realidades existirá.

Por isso, hoje você pode me dizer que está na pior situação do mundo, pode me dizer que não tem paz, que não tem alegria ou que não tem sucesso, mas ainda assim, o seu futuro está intacto. Se tomar as atitudes certas, a sua situação mudará.

Saber que seu futuro não está pré-determinado lhe dá outra perspectiva. A fé é o canal de comunicação que liga os seus pensamentos aos pensamentos de Deus. Assim, não há desespero na possibilidade de um futuro incerto. Você não precisa se preocupar com seu futuro ou com o dia de amanhã. Basta estar com essa conexão ativa e terá a direção correta para seguir. Quando age movido pela certeza, até o que era para dar errado, dá certo.

É muito cômodo se prender ao que aconteceu no passado para justificar seus fracassos. Muitos culpam seus pais, seus avós, seus ex-patrões, a falta de oportunidades, seus traumas e até mesmo a cor de sua pele. Mas está na hora de assumir a responsabilidade sobre suas escolhas e começar a definir seu futuro por meio de atitudes no presente.

Gosto de uma história que ilustra bem essa situação. Um menino negro esperava sua mãe, sentado em frente ao portão do colégio. Enquanto esperava, viu um vendedor de balões na praça em frente. Em seu carrinho havia uma porção de balões, de várias cores diferentes. Para atrair a atenção das crianças, ele, de vez em quando, soltava um balão. O menino o viu soltar o balão vermelho. Aquele balão subiu e foi levado pelo vento. Algum tempo depois, ele fez o mesmo com um balão amarelo. Ele também subiu e foi levado pelo vento. O garoto, então, atravessou a rua e, preocupado, perguntou ao vendedor:

— Moço, o balão preto não sobe, não?

Sem dizer nada, o vendedor soltou o balão preto, como havia feito com os outros, e o viu subir. Em seguida, respondeu:

— Menino, preste atenção. O que faz o balão subir não é a cor, mas o que está dentro dele.

Na verdade, não importa sua condição atual ou seu passado. Não importa sua origem, sua cor, sua escolaridade, sua condição econômica, se você teve ou não oportunidade ou qual sua aparência. Não importa o que pensam de você. O que faz a diferença não é sua situação atual ou passada, mas o seu espírito. Essa disposição de olhar para a frente e projetar o seu futuro, com a certeza de que vai dar certo. O que vai fazer você subir é o que está dentro de você.

4º tom: Não tenha medo de correr riscos

Uma das formas mais eficazes de garantir que você não vai sair do lugar é ter medo de arriscar. Não é errado querer estar dentro de uma margem de segurança, mas quando isso significa se esconder em sua zona de conforto e evitar correr riscos, é preocupante. Esperar ter garantias palpáveis de que algo vai dar certo pode fazer você perder tempo e oportunidades preciosas.

Risco é, basicamente, a possibilidade de algo ruim acontecer. Sendo assim, dá para entender por que razão um ser humano evitaria correr um risco. Quem, em sã consciência, iria querer se abrir para a chance de alguma coisa dar errado? Porém, a História nos mostra que as maiores vitórias foram obtidas quando os maiores riscos foram enfrentados, simplesmente porque heróis se concentraram nos resultados que queriam alcançar, e não nos riscos.

Davi era um rapaz muito jovem, um menino, pastor de ovelhas, sem treinamento nenhum de guerra. Ele era o caçula e seus irmãos eram soldados fortes do exército de Israel. Um dia, seu pai o mandou levar comida e ver como estavam seus irmãos, pois o exército estava acampado na entrada da cidade, sob risco de ataque dos inimigos. Uma guerra estava prestes a explodir e a família estava sem notícias. Obedecendo ao seu pai, ele foi.

Chegando lá, uma cena absurda: o exército inteiro tremendo de medo. Um guerreiro gigante, muito maior do que qualquer pessoa normal, forte e aparentemente invencível, gritava barbaridades contra Israel. Ridicularizava, afrontava e desafiava ao combate. Quem teria coragem de encarar aquele desafio contra um homem tão grande e forte, como ninguém jamais tinha visto? Os soldados de Israel estavam apavorados. O próprio rei de Israel estava apavorado. A situação parecia não ter saída. O fim estava próximo.

O pequeno Davi ouviu as barbaridades ditas por aquele gigante, como todos os outros ouviram, mas, em vez de aquela situação causar nele o medo que causou nos outros, o que moveu dentro dele foi a revolta. Como aquele gigante **ousava** afrontar o exército do Deus Vivo? Em vez de olhar para si mesmo, se ver pequeno e prestar atenção à dificuldade e ao perigo, Davi olhou para o tamanho do seu Deus (muito maior que qualquer gigante) e prestou atenção ao que deveria ser feito. A única saída possível: já que a guerra estava declarada e era matar ou morrer, ele sabia que o gigante deveria ser morto. E não esperou por ninguém. Não olhou para os soldados, esperando que alguém se adiantasse. Não pediu ajuda ao rei. Aliás, o rei é que mandou chamá-lo quando soube que estava disposto a lutar contra o terrível inimigo.

A reação do rei poderia ter causado mais medo ainda em Davi. Primeiro, disse ao menino que ele não poderia lutar contra o gigante, porque Golias era guerreiro experiente e Davi, apenas um menino. Mas Davi não se intimidou. Respondeu que já tinha vencido um leão e um urso e sabia que Deus o ajudaria a vencer o gigante da mesma maneira.

Convenhamos, o ataque de um animal selvagem irracional não pode ser comparado a uma batalha contra um guerreiro treinado e bem armado. O fato de ele ter matado esses animais sozinho não o habilitava a guerrear contra um soldado! Porém, o que o fez vencer foi sua confiança em Deus, sua fé, que dava a ele coragem para correr o risco necessário. Ele sabia o resultado que queria e sabia que Deus estava com ele. Logo, não deixou entrar em sua mente nenhuma forma de "não posso".

O rei Saul concordou em deixar o garoto lutar, mas exigiu que ele usasse sua armadura. Porém, aquela armadura era feita para um soldado adulto, forte e treinado. Ao vesti-la, Davi não conseguiu andar. A armadura mostrava a ele sua condição de jovem e fraco. Ela o lembrava de sua desvantagem, o que poderia despertar o medo.

Sem pensar duas vezes, tirou a armadura. Sua proteção era a sua fé. Aprenda isso. A certeza protege. O medo desampara. É o que tem dentro de você que garante sua segurança, não as condições externas. Permanecer em sua zona de conforto pode parecer tentador, afinal de contas, você já a conhece. Embrenhar-se pelo desconhecido é assustador, a princípio, mas é a única maneira de alcançar os resultados que você não teve ainda. Afinal de contas, para alcançar o sucesso e permanecer nele é preciso fazer o que você nunca fez.

Mas isso não significa cometer loucuras e colocar seu negócio e sua vida na linha do trem. Existem dois tipos de risco: o emocional e o racional. Arriscar-se motivado por seu coração é garantia de se espatifar lá na frente, mais cedo ou mais tarde. Quem se guia por seu coração não calcula, não planeja. Arrisca e espera pela sorte.

Já se arriscar motivado pela razão, é garantia de sucesso. Duas pessoas podem fazer exatamente o mesmo movimento de risco no jogo dos negócios, mas o resultado vai depender diretamente da motivação interior que as levou àquela decisão. O que mantém sua força e confiança para nadar contra a correnteza e alcançar o que ninguém mais alcançou é a sua fé, a certeza racional do resultado que você espera. Isso, nenhuma emoção pode trazer.

O segredo de se arriscar motivado pela razão é andar sempre no limite máximo da sua fé, daquilo que você crê que deve fazer. Há uma frase de autoria da norte-americana Helen Keller, que explica isso muito bem: "Nunca se pode concordar em rastejar quando seu impulso é voar". Ou seja, se você tem fé para voar, não rasteje.

Para entender melhor, imagine um agricultor que deseja cultivar uma área maior de terra, mas ainda não tem os recursos necessários. Se ele tiver medo de arriscar, vai pensar: "puxa, não tenho como realizar esse sonho agora. É impossível! Então, melhor ficar plantando nesse pedacinho de terra que tenho, mesmo. Pelo menos isso eu consigo fazer". E nem tentaria nada.

Porém, se ele resolver se arriscar emocionalmente, seu pensamento será: "eu vou aumentar minha plantação, não quero nem saber! Vou pegar essas sementes, caminhar por um pedaço maior de terra e jogar lá de qualquer jeito, em qualquer lugar, em qualquer dia e esperar que cresçam". Obviamente, não tem como dar certo! Mas, se ele se arriscar racionalmente, seu pensamento será: "eu quero plantar em uma área maior, então, vou fazer de tudo para descobrir como viabilizar esse sonho".

Entendeu? Ele não pensa que é impossível. Ainda que não pareça possível neste exato momento, você pode pesquisar, planejar e descobrir uma maneira de viabilizar o seu projeto de expansão. Correr risco é, essencialmente, se libertar do medo do fracasso. É agir, ainda que sinta medo, pois ele não o controla mais.

Isso é absolutamente necessário se você deseja alcançar o sucesso. Pois, neste exato momento, você está em algum lugar longe de seu objetivo, não está? Logo, terá de caminhar até o lugar em que gostaria de estar. Para isso, será preciso uma boa dose de coragem e de riscos calculados.

"Apenas aqueles que se arriscam ir longe demais podem descobrir quão longe eles podem ir." (T.S. Eliot)

Um bom exemplo disso é o que declarou Sandra Peterson, CEO da Bayer CropScience:

"A maioria das mulheres que eu conheço que tiveram sucesso nos negócios estavam dispostas a aceitar um desafio arriscado do qual outras pessoas poderiam dizer: 'Oh, não tenho certeza de que posso fazer isso'.

Se você olhar para minha carreira, eu desempenhei vários papéis de risco. Eles eram arriscados para algumas pessoas, mas dentro de mim, eu pensava: 'Uau, essa é uma grande oportunidade e vai me permitir aprender novas coisas e assumir um papel maior em uma organização maior'.

Mas algumas pessoas pensariam algo como: 'Você está louca? O que você sabe sobre diabetes, ou o que você sabe sobre máquinas de lavar ou a indústria alimentícia ou automóveis ou agricultura industrial?' "

O que define o resultado é sua forma de encarar os desafios. Se tiver visão, nenhum desafio será arriscado demais para você. A forma de Sandra Peterson enxergar fez com que ela naturalmente enfrentasse o risco com a força de sua fé. Ela tinha fé em si mesma, em sua capacidade de aprender e não permitiu que nada a limitasse. Agora, imagine o que você pode fazer se aliar sua fé em si mesmo à sua fé em Deus!

Como encara os desafios? Já vi muita gente reclamar do chefe lhe dar mais responsabilidades do que aos outros colegas. "Tudo meu chefe pede para eu fazer, meus colegas ficam sempre com menos tarefas!" Abra a sua visão. Se o seu chefe lhe dá mais responsabilidades do que aos outros, é porque confia mais em você do que nos outros. Ninguém dá responsabilidades demais a um funcionário incompetente.

Então, use isso a seu favor: aprenda o máximo que puder, seja aquele que sai na frente, que pesquisa, que traz novidades. Em vez de reclamar do trabalho, procure mais trabalho a fazer. Se quiser, pode aproveitar esse momento para aprender coisas novas e se preparar para assumir um papel maior na empresa em que trabalha, em uma empresa maior ou em sua própria empresa! Diante de um desafio, você mostra qual é seu verdadeiro espírito.

Aprenda uma coisa: as melhores empresas hoje em dia não promovem seus funcionários com base em tempo de serviço. Isso é coisa do passado. O que vale hoje é produtividade. Se você tiver visão, cresce. Se não tiver, fica estagnado. E, olha só que boa notícia: visão é de graça! Não precisa ter capital para adquirir visão, basta se esforçar. Seu cérebro é capaz disso, se você permitir. Vamos falar sobre isso mais para frente, mas fica o alerta: quer queira trabalhar para alguma empresa, quer queira um cargo público ou ser dono do seu próprio negócio, não há outra saída. Para ter sucesso, precisa perder o medo de arriscar e abrir sua visão.

5º tom: O poder de doar

No primeiro capítulo, falamos da lição que Oprah Winfrey aprendeu com Maya Angelou: *"Quando aprender, ensine. Quando tiver, dê"*. Esse é um dos maiores segredos das pessoas de sucesso. Nosso mundo atualmente é extremamente competitivo. Não apenas nos negócios, mas nos relacionamentos e em todos os lugares. Ninguém quer ajudar alguém sem receber algo em troca. Muitos não são capazes de um gesto de gentileza ou fazer algo por alguém que não pode retribuir. Há uma impressão generalizada de que se você der alguma coisa a alguém, estará perdendo. Então, as pessoas são incentivadas a reter. Elas retêm conhecimento, retêm dinheiro, retêm seu tempo, sua atenção...e quando dão, logo cobram daquele que recebeu.

Porém, não existe sucesso sem doação e sem sacrifício. Lembro da história de um grupo de quatro amigos. Todos queriam passar em um vestibular muito concorrido. Todos os finais de semana, três deles saíam para a balada e passavam na casa do quarto amigo para convidá-lo. Ele agradecia, mas dizia que não podia sair, pois tinha que estudar para o vestibular. Como ainda estavam no início do ano, longe da prova, os amigos achavam graça, chamavam ele de bobo e nerd, e iam "se divertir". Os finais de semana se repetiram assim, até que chegou perto do vestibular e os amigos resolveram estudar.

Quando, finalmente, fizeram a prova, só o quarto amigo entrou na tão sonhada faculdade. E, com o dinheiro que economizou por não ir nas baladas, ainda conseguiu comprar seu primeiro carro. Ele sacrificou o ano inteiro. Sacrificou sua vida social, sacrificou sua diversão, sacrificou horas de sono, sacrificou até sua reputação entre os amigos. Porém, mais para frente, colheu os frutos do sacrifício.

Agir com base em suas vontades imediatas é receita para o fracasso. Nossos desejos e impulsos não são bons conselheiros, pois são alimentados por emoção. É por isso que a base dos ensinamentos de Jesus é o sacrifício. Quando Ele diz *"Quem quiser vir após Mim, a si mesmo se negue, tome a sua cruz e siga-Me"* (Marcos 8.34), está falando de sacrificar suas vontades e sua própria vida para segui-Lo.

Abrir mão da nossa vontade pela vontade dEle não é, de maneira alguma, se limitar ou aceitar as derrotas. Quem pensa assim, não conhece Deus. Pelo contrário, abrir mão de nossa vontade pela vontade de Deus é nos permitir abrir a nossa visão e sair da nossa caixinha, da nossa zona de conforto.

Quem sacrifica é livre, pois deixa de ser escravo de suas próprias vontades, de seus desejos e de seus medos. Quem sacrifica é desapegado, não está preso a nada. Se você estiver preso ao que tem, o que você tem se tornará seu ponto fraco. Qualquer pessoa que tocar naquilo que você tem, estará tocando em você, em seu coração. E se você perder aquilo em que está preso, se perderá junto.

É por isso que alguns empresários, quando perdem tudo, se suicidam e matam a família. Por estarem presos ao que tinham, aos bens, ao sucesso, ao status, perderam a noção do valor de suas próprias vidas e de seus relacionamentos. Jogaram fora o que tinham de mais precioso por causa de algo sem valor. Porque, sejamos honestos, qualquer tesouro deste mundo não tem valor diante da preciosidade da alma humana. Se você estiver vivo e perder dinheiro, poderá recuperar muito mais do que perdeu. Mas e se você perder a vida? Como recuperar o que perdeu?

Enquanto a pessoa está apegada ao que tem, à sua família, aos seus amigos, ao seu jeito, aos seus hábitos, Deus não pode fazer nada na vida dela. Onde está o seu coração, está o seu tesouro. Ou seja, quem toca em seu tesouro, toca em seu coração, em sua vida. Isso é muito perigoso. Se o seu tesouro é algo deste mundo, é como se você andasse com o coração do lado de fora, exposto, sem nada para protegê-lo. O coração do discípulo de Jesus, que negou a si mesmo para segui-Lo estava nEle. Ninguém jamais poderia destruir o espírito desse discípulo. Nenhuma perda poderia destruir sua vida, pois seu coração não estava em nada deste mundo.

O problema não é ganhar dinheiro, o problema é ter amor ao dinheiro, ser apegado a ele. Essa é a raiz de todo o mal. O problema não é ter as coisas, o problema é estar apegado àquilo que se tem. Pessoas de sucesso não vivem suas vidas gravitando em torno de dinheiro. Quem faz isso é pobre ou rico infeliz.

Já ouviu falar que o dinheiro é um excelente servo, mas um péssimo senhor? Quando dá a ele mais importância do que tem, a ponto de perder sua saúde, sua alegria e sua vontade de viver por causa dele, você se torna miserável. E a miséria interior é o pior tipo de miséria que existe. Quando se é rico por dentro, não há dificuldade nenhuma em se manter rico por fora. Mas quando seu interior é vazio e miserável, haverá sempre um buraco que o manterá ansioso e angustiado por preencher, sem nunca conseguir. Você trabalhará sem sossego, nunca vai estar satisfeito, por mais que conquistar. Começará a prejudicar os outros, a passar por cima dos outros e a se afundar cada vez mais em busca de uma riqueza que, depois que partir, não poderá levar consigo.

Abra os olhos. Sacrificar não é perder. Sacrifício não é penitência. Sacrificar é tirar o seu coração das coisas que você tem. Tirar seu ego do centro do universo. Assim, você não terá a menor dificuldade em dispor do seu tempo, do seu dinheiro, do seu esforço e da sua inteligência para ajudar outras pessoas, pois conseguirá enxergar o mundo da maneira correta. Doar-se é o grande segredo do sucesso.

Não conheço ninguém que tenha alcançado a excelência em alguma coisa sem sacrificar. Um funcionário que só faz o que lhe mandam e passa a tarde olhando no relógio esperando a hora de bater ponto dificilmente será alguém na vida. O funcionário que se destaca é aquele que está sempre procurando alguma coisa para fazer e oportunidades de doar.

Ele se antecipa aos problemas, já pensando na solução, em vez de ficar apenas reclamando. O patrão sabe que pode contar com ele. Em pouco tempo, ganha a confiança dos seus superiores. Ele não precisa que alguém lhe diga o que fazer, pois está comprometido com o trabalho. Está sempre pronto a servir, a se doar. Esse é o que é promovido antes dos outros, esse é o que tem uma ideia para seu negócio próprio, esse é o que nunca vai ficar sem ter o que fazer, esse é o que nunca vai depender de ninguém.

Os melhores líderes também sacrificam. Os funcionários sabem que podem contar com o líder que sacrifica e vive para servir. Tudo o que é colocado em suas mãos prospera, pois ele se dedica e persevera. Só quem sacrifica não desiste, pois não se poupa.

Não estou falando aqui de ser escravo do trabalho. Sacrifício não é penitência. Estou falando do sacrifício inteligente, que não vê impossibilidades. Estou falando de se doar pelo prazer de ajudar, pelo prazer de fazer o que é certo. Estou falando em abrir mão de alguma coisa por outra coisa maior. Quando a pessoa sacrifica, ela abre portas.

O problema é que em países com desigualdade social, como o Brasil, temos a ideia errada de que "servir", "doar" e "sacrificar" são sinônimos de ser explorado e pisado como capacho. Fomos criados pensando que servir nos torna bobos, e isso não é verdade. Se você doar com inteligência, isto é, de forma consciente, sem se deixar levar por sentimentalismos, não vai se permitir ser explorado.

Você doa porque é o certo a se fazer e não porque tem dó dos outros. Ainda que sinta pena do funcionário preguiçoso, por exemplo, não vai passar a mão na cabeça dele, o mantendo na empresa, lhe dando prejuízo. Você usa a cabeça. É generoso ao dar todas as oportunidades para essa pessoa mudar seu comportamento, mas, se isso não acontecer, não vai impedi-la de colher as consequências de seus atos no RH.

No mundo em que vivemos hoje, o bonzinho é visto como bobo. As pessoas têm a impressão de que só cresce quem toma dos outros. No entanto, a realidade não é tão simples assim. Veja o que Adam Grant, autor do livro "Dar e Receber", escreveu: *"As pesquisas demonstram que os doadores ficam na base da escala de sucesso. Em uma ampla variedade de ocupações importantes, os doadores estão em desvantagem: melhoram a vida dos outros, mas sacrificam o próprio sucesso".*

Nesse caso, então, o mundo está certo? Os doadores realmente se dão mal? O certo, então, seria pensar em si mesmo e os outros que se virem? Não mesmo! Estranhamente, o mesmo autor analisou pesquisas a respeito do topo da escala de sucesso e descobriu que os profissionais que atingem altos níveis de excelência **também são doadores**! Tomadores (os que só querem receber) e compensadores (aqueles que só doam se receberem algo em troca) se situam no meio; o topo do sucesso é reservado àqueles que dão mais do que recebem.

Logo, deve haver alguma diferença entre o modo de encarar a doação entre os que estão na base dessa escala e os que estão no topo. Realmente, existe diferença. Os doadores-capacho são aqueles altruístas que têm pena dos outros e que deixam de crescer para trabalhar pelo crescimento alheio, inclusive dos piores exploradores.

O dicionário define "altruísmo" como *"desprezo ou sacrifício dos próprios interesses para atender ou satisfazer as necessidades alheias"*. Isso, na verdade, não é ruim. Pelo contrário, os altruístas são pessoas que doam mais e que, consequentemente, se tornam muito mais felizes e realizadas. Só que existem duas formas de altruísmo: uma é a equilibrada, que estudiosos chamam de "altruísmo seguro". A outra é a desequilibrada, chamada de "altruísmo de risco".

Em um artigo chamado *"Risky altruism as a predictor of criminal victimization"* (Altruísmo de risco como um preditor de vitimização criminal), pesquisadores analisaram a relação entre a possibilidade de ter sido vítima de fraudes, estelionatos e outros crimes, e o tipo de altruísmo que a pessoa apresentava. O resultado mostrou que os altruístas de risco eram três vezes mais propensos a serem vítimas do que os altruístas seguros.

Em outras palavras, quanto mais você toma decisões por pena dos outros, sem pensar nos prejuízos que aquelas decisões podem causar a você, mais facilmente enrolável você se torna. Presa fácil de mal-intencionados e exploradores. Altruístas de risco são aqueles que têm o coração do tamanho do mundo e cometem sempre os mesmos erros porque não sabem se proteger.

Mas, o que mais chama atenção nesse estudo é uma parte do artigo que diz: *"altruísmo de risco e altruísmo seguro mostraram diferentes padrões de relacionamentos, com variáveis de personalidade, com o altruísmo de risco sendo menos relacionado a personalidade pro-social, amabilidade e consciência e mais relacionado a extroversão e busca por sensações"*.

Ou seja, ao contrário do que pensava, a razão de você não saber dizer "não" está mais ligada a uma busca por sensações do que a uma vontade genuína de ser amável com os outros. Analise a raiz da sua dificuldade em dizer não. Pode ser que esteja mais ligada aos seus interesses pessoais do que aos interesses dos outros. Talvez seja fruto de insegurança, você quer agradar os outros para conseguir aprovação, ou para se sentir melhor. Se você quer *se sentir* melhor, quer *se sentir* importante, quer *se sentir* valorizado, quer *se sentir* amado, bem lá no fundo, a sua motivação está em você, na busca por sensações.

Pode ser também que esteja buscando a sensação de ser útil para alguém. Que esteja querendo se sentir realizado por ajudar. Por isso, no trabalho você toma decisões com base no sentimento e se dá mal. Abrir mão de parte de sua comissão ou de um bônus para dar um desconto maior ao cliente, por exemplo, pode ser uma decisão estratégica em certos momentos, quando o prejuízo puder se reverter em benefício no longo prazo, mas é o tipo de escolha que você deve fazer usando o bom senso, caso a caso, e jamais pode ser a sua forma padrão de tratar as suas vendas, ou vai acabar pagando para trabalhar. Claro que não deve querer explorar o cliente ou deixar de dar um desconto possível de ser dado, mas, assim como precisa cobrar o que é justo, também precisa receber com justiça.

Qual é o antídoto? Se buscar desenvolver a segurança em si mesmo, terá força para dizer não e aprenderá a doar de forma consciente, racional e eficaz. Você não ajuda seu cliente quando permite que ele o explore. Pelo contrário, faz com que ele cometa uma injustiça. Não se sinta injustiçado se você mesmo força o seu cliente a ser injusto. Proteja aqueles que trabalham com você buscando ser justo tanto no quanto você cobra quanto naquilo que aceita receber.

No entanto, todo cuidado é pouco para não cair no outro extremo. Se realmente quer alcançar o sucesso, precisa aprender a doar. É impossível alcançar um sucesso permanente e abrangente sem ser um doador. Vamos falar um pouco mais disso no capítulo seguinte.

6º tom: O egoísmo não compensa

Atendi uma senhora que se lamentava por não conseguir fechar muitos negócios. O movimento estava escasso e ela reclamava porque a situação começou a ficar difícil, não sabia por que razão estava ficando para trás. Ao conversar com ela, descobri que, na hora de definir preços para os clientes, colocava o lucro lá em cima. *"Eu coloco 300% em cima do que paguei, porque assim, com uma venda que eu fecho, já resolvo meus problemas"* — ela me disse, sem se dar conta de que aquela era a razão de estar tudo parado.

Não é só uma questão de o cliente achar caro, é uma questão de pensar que só você deve sair ganhando. Se quiser vencer, não pense só em você. Não é à toa que o segundo grande mandamento é "Amar ao próximo como a si mesmo". A visão de Deus é pensar no próximo. Quem tem a mesma visão que Ele, não quer só ganhar. Você ganha, mas quem fizer negócio com você, ganha, também. Se tem funcionários, quer que eles cresçam. Investe nos seus funcionários e não os trata mal. Tudo o que dá para eles, colhe, também. E, inevitavelmente, recebe mais do que dá.

Orientei aquela senhora a diminuir o lucro por produto, cobrando um preço justo, pensando em fechar negócios em que todo mundo saísse ganhando, não apenas ela. Assim, o trabalho certamente daria mais dinheiro, mais retorno em volume e, principalmente, muito mais satisfação. Felizmente, ela seguiu o meu conselho e começou a arrebentar! As vendas aumentaram, ela fidelizou clientes e começou a prosperar de verdade.

O segredo é querer que os outros ganhem quando você ganhar. Segundo uma pesquisa recente feita pelo Project Management Institute (PMI), empresas que investem nos funcionários têm 14 vezes mais chances de ter sucesso em seus projetos. É questão de lógica. Se está em um lugar em que existem outras pessoas e essas pessoas crescem, você vai crescer, também. De certa forma, podemos dizer que o sucesso é contagioso, pois as pessoas que partilham uma forma positiva e impulsionadora de pensar certamente irão se desenvolver e levar outras com elas. O contrário também é verdade, uma forma negativa e fracassada de ver o mundo leva ao fracasso coletivo.

Investir nos funcionários é, então, questão de inteligência. Se você tem funcionários e seus funcionários forem bem tratados e valorizados em sua empresa, eles irão trabalhar melhor. Pensar naqueles que trabalham com você é, também, pensar no futuro dos seus negócios. Ainda que essas pessoas não valorizem, você vai colher aquilo que plantar. É o seu padrão de atitude que determina o que você colhe, não atos isolados.

Da mesma forma, se você é funcionário, a melhor maneira de ter sucesso no trabalho é querer que a empresa cresça e trabalhar como se ela fosse sua. Vestir a camisa. Aliás, se tem pretensões de um dia ter seu próprio negócio, pode começar a treinar desde já com o negócio dos outros. Como você pode vencer se o seu patrão não vencer? Como você pode vencer se seus funcionários não vencerem? Tenha prazer em ajudar e em fazer o melhor por quem trabalha com você.

Profissionais de sucesso são grandes doadores. Eles pensam em como podem colaborar com informações, apoio, agradecimentos, contatos... Assim, criam uma rede de colaboração ao seu redor, que só tende a crescer.

Se faz um negócio pensando em si mesmo, faz o negócio uma vez só, mas quando faz pensando no próximo, você ganha, a pessoa ganha e dela vem outros clientes para você. Essa é uma regra que vale dentro de casa, também. Na família, nos relacionamentos de amizade, na rua, em qualquer lugar.

Egoísmo é uma falha de caráter. E você pode trabalhar para eliminá-lo de sua vida exercitando a doação equilibrada. Procure pensar mais nos outros, enxergar as necessidades de quem está ao seu lado. Em vez de pensar no que você quer, pense em que você poderia fazer pelos outros. O que sua esposa precisa agora? O que seu marido gostaria que você fizesse? O que você poderia fazer hoje, agora, para tornar a vida de alguém melhor, mais fácil, mais feliz ou mais leve?

Ainda que seja uma coisa aparentemente pequena ou insignificante, faça. São as atitudes pequenas que moldam o nosso caráter e fortalecem nossos hábitos. Treine sua mente a ser mais altruísta, pensar mais nos outros e ter prazer em ajudar. Se isso não é da sua natureza, no começo as pessoas vão estranhar, mas não desanime. Com o tempo elas perceberão que sua mudança é definitiva e irão acreditar em você. O que importa, neste momento, é que você queira mudar para se tornar uma pessoa melhor e ingressar em um caminho de sucesso.

Não deixe sua insegurança trabalhar contra você (sim, na maioria das vezes ela é a responsável por seu egocentrismo). Quem é bem-sucedido quer o crescimento da equipe, trabalha pelo crescimento da empresa (ainda que seja funcionário, enxerga como se fosse o dono). Tudo o que plantar, você vai colher, então a melhor estratégia é escolher bem o que plantar. Faça boas escolhas a respeito de como vai tratar os outros e como vai lidar com sucessos e derrotas dos que estão ao seu redor, sempre querendo ajudar como gostaria de ser ajudado. Lembre-se da Regra de Ouro:

"Tudo quanto, pois, quereis que os homens vos façam, assim fazei-o vós também a eles." (Mateus 7.12)

O sucesso começa dentro de você. Ele é fruto de um caráter excelente, que pode ser moldado por uma mudança em suas atitudes e pensamentos. Essa mudança só pode ser feita por você e é fruto de uma decisão consciente. Aprenda: quem quer mudar, pode mudar. Você pode ser quem quiser. Quem você quer ser?

7º tom: Não dê desculpas

Se realmente quer ter sucesso, esqueça a mania de arranjar desculpas e justificativas para não ter feito alguma coisa.

Gosto da forma bem-humorada que Renato Cardoso descreveu essa mania em seu blog, no artigo "Desculpite aguda: sintomas e cura": *"A desculpite aguda é caracterizada por frequentes justificativas do doente sobre por que alguma coisa não deu ou não dará certo. Outros sintomas incluem negativismo, dificuldade de aceitar novos desafios, senso de impotência e resmunguite (que pode virar Doença de Chatos)"*.

Para saber se você sofre desse mal, fique atento às suas palavras e aos seus pensamentos. Pessoas habituadas a reclamar da vida e com complexo de vítima são muito atacadas por essa doença contagiosa. Embora nem sempre quem sofra de desculpite reclame da vida, o problema da desculpite é bem semelhante ao da reclamação: é uma atitude inútil e que só prejudica, aprisiona e paralisa. A pessoa que sempre tem uma desculpa ou uma justificativa nunca assume a responsabilidade, nunca admite erros e, consequentemente, não cresce.

Sempre tem uma razão para ela ter feito o que fez. Sempre tem uma razão para não ter feito o que deveria. Sempre tem outra pessoa para quem ela pode empurrar a culpa. Assim, ela vai permanecer estagnada, porque o que nos faz ir para frente é enfrentar a guerra. Enfrentar não é se desviar, é encarar as consequências e os desafios. É ignorar o medo, guardar a vergonha na sacola e assumir o que precisa fazer. Fazer o que tem de ser feito, e não o que tem vontade, sem inventar desculpas.

A pessoa de sucesso não espera que os outros façam o que ela deve fazer. Sempre está um passo à frente, pois não tem medo de assumir responsabilidades. Ela é corajosa, não desanima, não gasta sua energia tentando se defender. Simplesmente faz o que é certo e sabe que suas próprias atitudes testemunharão a seu favor. Não suas palavras.

É fácil dar desculpas, tanto para fazer algo errado quanto para não agir. As pessoas fazem isso porque têm medo de assumir a responsabilidade por suas próprias vidas. Aí inventam que a vida é assim mesmo, que não podem fazer isso e aquilo porque não têm faculdade, porque têm a idade errada, a formação errada, o histórico errado, ou porque não têm sorte, ou por isso ou por aquilo...

Às vezes acontecem coisas em nossa vida que não estão sob o nosso controle. Cresci em uma família financeiramente bem estruturada, meu pai era próspero. Mas, quando meus pais se separaram, fui morar com minha mãe e meu irmão. O padrão de vida caiu muito e fomos para a miséria. Eu era criança, poderia ter colocado a culpa na situação e me conformado com aquilo, mas nunca aceitei miséria. Eu pedia dinheiro na rua para não ficar sem, mas não conseguia aceitar não ter nada. Próximo da adolescência, comecei a trabalhar com um homem que pintava painéis. Fui muito humilhado nesse lugar, por isso decidi que não ia trabalhar para os outros, que montaria meu próprio negócio.

Eu tinha quase 14 anos e, obviamente, não tinha formação nenhuma, mas já queria assumir as rédeas do meu futuro. Poderia dar todas as desculpas possíveis, mas não tinha como. Ou eu decidia minha vida ali ou ficaria parado e andaria para trás. E se você ficar parado, meu caro, a culpa é inteiramente sua. Não coloque a culpa em mais ninguém. Se quiser ter sucesso e ser alguém na vida, aprenda a assumir suas responsabilidades. Tenha alergia a desculpas. Tenha horror a desculpas.

Não coloque a culpa no governo, na situação, na crise, no seu passado, no seu histórico, em nada! Encontre a sua parcela de responsabilidade e lide apenas com ela. Se alguém mais tem responsabilidade sobre a situação, não é problema seu. Se aprender a lidar com o que você pode fazer, irá se surpreender com a transformação que verá em sua vida. Faça o que tem de ser feito. Comece a agir! Um passo de cada vez. Esteja atento às oportunidades que surgem em cada dificuldade.

8º tom: Acreditar em si mesmo não é opcional

Muitos creem em Deus, mas não creem em si mesmos. Isso pode levar você a começar um ciclo de autossabotagem. A inteligência espiritual deve ser utilizada diariamente, em absolutamente todos os momentos. Você tem um poder que nem imagina. E eu posso afirmar, sem medo de errar, que esse poder é o responsável pela situação em que sua vida está hoje — seja ela qual for.

Você tem uma arma poderosa nas mãos, que é a sua fé. Ela pode levá-lo a uma vida de sucesso e autoconfiança ou a uma vida de derrota e autoboicote. Mas como? A fé não deveria ser algo positivo, capaz de remover montanhas? Sim, ela é, mas ela é uma força poderosa que também pode ser usada de forma negativa.

Você é um profeta da sua própria vida. E as profecias que fazemos a nós mesmos são autorrealizáveis, isto é, nós as realizamos mesmo sem perceber. Isso já é comprovado. Esperar que algo aconteça realmente faz com que aconteça. Se você acredita que consegue, você consegue. Mas, se acredita que não consegue, dificilmente irá conseguir. Leia isso mais uma vez.

Tudo depende de você. Uma profecia negativa autorrealizável é uma barreira mental que faz com que você fracasse justamente por ter esperado fracassar. Convenhamos, quem age assim consigo mesmo não precisa de inimigos.

Com esse poder todo nas mãos, você pode **decidir** acreditar em si mesmo. No começo, pode até parecer que está se enganando, mas, na verdade, está modificando seus padrões mentais a seu favor. Se até agora tem acreditado em uma mentira a seu respeito (que você não é capaz, que não é inteligente, que nunca conseguirá fazer o que deseja ou que determinado sonho não é para você), seu cérebro acredita que ela é verdade. No entanto, ao substituir essas afirmações por novas, que criem o futuro que você espera, aos poucos essas novas afirmações se tornarão a verdade que guiará seu progresso.

Faça de conta que você é um advogado que precisa provar que seu pensamento negativo está errado. O pensamento negativo a seu respeito só existe porque você não raciocinou o suficiente sobre ele. Vamos lá, pense mais um pouco. Tente enxergar o que você é capaz de fazer. Quando Deus chamou o profeta Jeremias e disse que ele iria falar com os chefes do seu povo (e não era para falar coisas boas, então precisava de muita coragem), Jeremias não acreditava em si mesmo. Ele disse:

"Ah! SENHOR Deus! Eis que não sei falar, porque não passo de uma criança." (Jeremias 1.6)

Olha a visão de Jeremias sobre si mesmo. Deus disse que ele seria profeta, ou seja, que teria que falar para várias pessoas. Então, Jeremias já olhou para as suas condições, para aquilo que ele acreditava sobre si mesmo. O que lemos aí é o sentimento de Jeremias, porque se ele estivesse realmente raciocinando sobre aquilo, pensaria: "espere aí, é o próprio Deus falando comigo, eu vou conseguir fazer!". Mas o nosso sentimento de inferioridade, nossa baixa autoestima, não nos deixa pensar. Veja só a resposta de Deus a Jeremias:

"Mas o SENHOR me disse: Não digas: Não passo de uma criança; porque a todos a quem Eu te enviar irás; e tudo quanto Eu te mandar falarás. Não temas diante deles, porque Eu sou contigo para te livrar, diz o SENHOR." (Jeremias 1.7,8)

Deus deixou bem claro que Jeremias não deveria olhar para o que achava que era sua condição, porque se Deus estava com ele, seria possível fazer qualquer coisa. Tudo é possível ao que crê. Tudo! Você não tem que olhar para a sua condição ou para a sua situação. Se Deus colocou dentro de você essa vontade de mudar é porque Ele está ao seu lado. Se não crê em si mesmo, acredite no que Deus pensa a seu respeito.

Cuide do que você espera. Pense bem em que você acredita. Nossa vida é resultado das lentes com que escolhemos ver o mundo. Você só irá enxergar aquilo que deseja procurar. Faça um teste. Olhe ao redor, onde você está, e procure a cor azul. É sério. Pare de ler este livro e olhe ao redor, procurando a cor azul. O que aconteceu? Dois minutos atrás, você não tinha reparado quanto azul existia no mundo, mas, ao começar a procurar agora, tem a impressão de que o azul está por todo lado. Sabe por quê? Só vemos aquilo que procuramos. Só achamos o que estamos predispostos a achar.

Se colocar na cabeça que é incompetente, dará ao seu cérebro a ordem para procurar todos os sinais dessa incompetência. Todas as vezes em que errar ou não conseguir fazer alguma coisa, o alarme "incompetência" vai disparar. Seu cérebro irá guardar aquele sinal como comprovação da profecia que você fez a si mesmo. O conjunto desses sinais fará a profecia se autorrealizar. No entanto, todas as vezes em que você acertar ou conseguir fazer alguma coisa, seu cérebro irá ignorar, afinal de contas, ele não está programado para registrar as vezes em que você conseguiu, mas as vezes em que você falhou.

Porque ele não está procurando por isso, não irá registrar aquela vitória. Está ocupado registrando as derrotas, para confirmar sua impressão ruim a seu respeito. Percebe o perigo? Você está colecionando pequenas derrotas e jogando fora as pequenas vitórias. Nós tendemos a nos tornar experts naquilo em que colocamos nossa atenção e nossa força. Se sua atenção e sua força estão em seus fracassos, você se tornará um expert em fracassos, não importa quantas vezes acerte.

Não é uma questão de acreditar que você é o máximo ou que já sabe fazer algo que ainda não aprendeu, mas um esforço consciente em acreditar que você pode, sim, desenvolver qualquer habilidade de que precise. Se tiver a consciência de seu potencial e trabalhar para desenvolvê-lo, você já está acima da média.

O que tem a perder se começar a acreditar no seu potencial? O que tem a perder se começar a trabalhar para se tornar uma pessoa realizadora? O realizador é aquele que coloca seu potencial em ação. Ele transforma sua energia potencial em atitudes realizadoras, que materializam seus sonhos. Para isso, é necessário ter paciência e trabalhar um pouco a cada dia, respeitando as etapas e o tempo. Nada cresce do dia para a noite. Quando o agricultor planta uma semente, ele não espera ver a planta crescida no dia seguinte, mas ele sabe que a semente está lá. Sabe que, por baixo da terra, está acontecendo um milagre, que, em breve, será visível a todos.

Assim é, também, em nossa vida. Com paciência e perseverança, poderemos ver qualquer mudança se tornar realidade. Nossa parte é manter a certeza daquilo que queremos, não só em relação a nossos projetos e sonhos, mas também em relação a nós mesmos. No livro *"O Pão Nosso para 365 dias"*, o devocional do dia 11 de julho fala sobre essa passagem de Jeremias e termina com uma frase da qual eu gostaria que você se lembrasse: *"Se Deus acredita em você, quem você pensa que é para não acreditar?"*.

9º tom: Sucesso é ilimitado

Deus é ilimitado e tudo o que Ele criou não tem limites. O céu não tem limite. O oceano não tem limite. O ser humano também não tem limite. E as bênçãos de Deus são sem medida, isto é, ilimitadas.

Não há limites para quem tem uma aliança com um Deus ilimitado. Porém, toda semana eu atendo pessoas para quem isso não tem sido verdade. Talvez você se identifique com a situação que elas passam. Parece que todo mês sua vida é a mesma coisa, nada nunca muda. Um desespero para pagar as despesas, todo pedido com o fornecedor é a mesma quantidade. Parece que você trabalha só para se manter, só para pagar dívida.

Já era para você ter avançado e até hoje não avançou. Parece que nunca avança, parece que alguém traçou uma linha e definiu: "daqui você não passa!". Até se esforça, mas não consegue ultrapassar a barreira invisível que se ergueu.

O único que pode quebrar esse limite é você, através da fé. E o dia em que colocar esse poder em ação e quebrar esse limite, sua vida deixará de ser pequena.

Não vai ser fácil, mas as dificuldades têm de ser combustível para a sua fé. As palavras negativas que encontra têm de ser a sua força. As palavras que vêm para derrubar você, têm que levantá-lo ainda mais.

Mas de que forma usar as palavras negativas como sua força? Imagine que precisa *fazer* algo para provar a si mesmo que as palavras negativas que ouve estão erradas. É importante saber que nem sempre elas vêm de pessoas que não gostam de você. Na verdade, na maioria das vezes, elas vêm daqueles que dizem ser seus amigos. Elas vêm disfarçadas de "conselhos".

A pessoa que assume uma responsabilidade maior na empresa ou decide abrir seu próprio negócio, pode ouvir de amigos e colegas mais experientes, em tom de solidariedade, coisas como: "Puxa, isso vai ser muito difícil para você"; "não sei como você está aguentando"; "eu não queria estar no seu lugar"; "vai ser difícil conseguir isso"; "você deveria descansar, vai acabar ficando doente"; "é muita responsabilidade para você". Esse tipo de palavra alimenta a insegurança de quem aceitou um desafio. "É verdade, eu não tenho condições de fazer esse trabalho" — pode passar em sua mente. Essa forma de pensar o impede de encontrar uma solução para o problema. Palavras negativas em sua mente fazem com que tudo pareça mais pesado e mais difícil.

Se quer acertar, não pode acreditar que está em uma posição ruim ou que será difícil. Encare o desafio e, sempre que alguém disser algo assim, responda: "não se preocupe, eu vou fazer dar certo" — e vá em frente. Se Deus confiou a você um novo desafio, decida também confiar. Fazer tudo certo é uma questão de honra.

Não permita que alguém diga até onde você pode ir. Se recebo alguma nova responsabilidade, não me permito pensar que não consigo. Se alguém consegue, eu também posso conseguir. Se ninguém nunca conseguiu, posso ser pioneiro. Não deixo que alguém me engane. Dentro de mim, sei que não tenho limites.

Eu não tenho limites. Você não tem limites. O ser humano é ilimitado. Mas por que, então, a vida de muitos não vai para frente? Ou dá um passo para frente e dois para trás? Como explicar tanta limitação em uma pessoa com potencial ilimitado?

Muitas pessoas se permitem ser limitadas pelo que os outros falam ou pela situação que estão vivendo. Veem uma situação, creem naquela limitação e acabam elas mesmas criando as condições para que aquela limitação se torne realidade. Ela não terminou uma faculdade, então não crê que pode ter seu próprio negócio. Parece ser uma limitação legítima, mas conheço pessoas que sequer concluíram o ensino médio, mas têm, entre seus funcionários, pessoas formadas e pós-graduadas. Como pode ser impossível se alguém já fez?

Se for uma pessoa de superação, ninguém consegue parar você. Isso é tão forte e tão poderoso que, se movido por esse espírito ilimitado de superação, você determina que algo vai ser seu, pode passar um tempo, dois tempos, dez tempos e, daqui a pouco, aquilo realmente se torna seu.

Se a sua fé estiver em alta, nem mesmo uma limitação física poderá restringir o seu potencial. Você não é um corpo, você tem um espírito e essa é sua verdadeira identidade. Se o seu corpo não colabora, seu espírito fará o que seu corpo não pode fazer. Se a situação é desfavorável, seu espírito pode torná-la favorável. Seu corpo pode ser limitado, mas seu espírito é ilimitado. E esse espírito ilimitado leva a realizações surpreendentes. Inevitavelmente, essa forma de enxergar a vida nos guia a uma trajetória de sucesso.

É claro que uma situação-limite ou leva a pessoa a se superar e fortalecer sua fé ou a desanimar e perder as forças. A escolha é pessoal. Você é que decide qual será o resultado. Pode não ter controle da situação, mas tem controle da sua reação e é ela quem vai determinar se você sairá da guerra perdedor ou vitorioso. Mude sua forma de encarar os problemas e sua vida irá mudar.

Não se preocupe com o "como" as coisas irão acontecer. Não sei como se formam os ossos no ventre da mãe, mas eu sei que se formam. Não sei como sua vida vai mudar, mas sei que vai mudar. E se tiver essa fé, essa certeza, vai ter sucesso, não importa qual limitação as pessoas lhe atribuam. Se não assumir as limitações que os outros impõem, elas não terão poder sobre você.

Se você conhece a fonte da sua força, sabe que não há limites. Não permita que ninguém defina limites para você. Só se torna um vencedor aquele que está disposto a romper os limites. Sua força não depende da situação que você passa, mas da sua reação às situações. Se você fala para uma pessoa fraca que ela não vai conseguir, ela desanima automaticamente. Mas, se diz a uma pessoa forte que ela não vai conseguir, essa palavra negativa é como se fosse um combustível para fazê-la acelerar. Você não a desanima. Pelo contrário, só por ouvir "você não pode", já queima dentro dela um fogo, dizendo: "Eu posso, sim! Eu consigo! Eu vou conseguir! Todo mundo vai ver!" Esse fogo consome o medo, consome a dúvida, consome a insegurança e o desânimo. Isso é uma pessoa forte.

O rei Davi nunca aceitou ser limitado. Seu antecessor, Saul, disse que, para casar com sua filha, Davi teria que trazer 100 prepúcios dos cruéis filisteus, inimigos de Israel. Ao ouvir que era esse o preço, Davi se alegrou! E foi para o território inimigo tão motivado que, em vez de ferir 100 filisteus, trouxe os prepúcios de 200 para o rei. Não só conseguiu o impossível, como o fez em dobro, motivado pelo desafio. Motivado pelo impossível.

Davi já tinha mostrado esse espírito ilimitado quando era apenas um menino e viu os soldados apavorados por Golias. Lembra dessa história? Todos estavam com medo do gigante, mas Davi se indignou e decidiu que o mataria. Com toda aquela motivação queimando dentro dele, a indignação por ver aquele homem afrontar o Exército do Deus Vivo, Davi quase recebeu um balde de água fria na cabeça.

O próprio rei, Saul, disse ao garoto que ele não poderia ir lutar contra o gigante porque não tinha condições humanas para vencer a batalha. Sempre tem alguém para dizer o que você pode ou não fazer, mas cabe a você decidir se aceita ou não a limitação. Davi não aceitou. Ele conhecia a Fonte da sua força. Sabia que qualquer afronta contra o povo de Deus era uma afronta contra o próprio Deus. Assim, se fosse para a batalha, não estaria sozinho. Deus lutaria ao lado dele. Quer alguém mais preparado do que Deus?

Saul disse que ele não podia ir. Mas, em vez de desanimar, Davi multiplicou suas forças, defendeu sua posição e foi à batalha. E, com certeza, quanto mais duvidavam dele, mais forte ele ficava. Venceu o gigante e fez História.

Anos depois, quando assumiu o reinado, tentou entrar em uma cidade chamada Jebus. Os moradores disseram a ele: "aqui você não entra!". Davi entrou, tomou a cidade e ainda colocou o nome dele lá. Até hoje é conhecida como a Cidade de Davi. Ele nunca aceitou ser uma pessoa limitada. Nunca aceitou o "não posso", "não consigo". Como alguém vai parar uma pessoa assim?

Talvez por isso tenha entrado para o registro bíblico como "um homem segundo o coração de Deus". Você pode estudar a Bíblia de capa a capa e nunca vai encontrar Deus aceitando limitação de ninguém. Suas palavras para quem estava ao lado dEle sempre foram de ânimo, de força, de coragem: "seja forte e corajoso"; "Eu sou contigo"; "não te espantes"; "não temas, crê, somente"; "tudo é possível ao que crê".

Palavras negativas, que colocam para baixo, não têm nada a ver com Deus. Podem parecer conselhos de cautela, podem ter o nome bonito que for. Se elas tentam plantar em você a dúvida ou o medo, pode ignorar. Se o que está fazendo não é errado, se está agindo de forma ética, se está confiando em Deus e trabalhando com todas as suas forças, não tem como dar errado.

A Bíblia inteira fala do impossível, da eternidade, do inimaginável. Em uma das cartas de Paulo, ele diz aos seus destinatários: *"Não tendes limites em nós; mas estais limitados em vossos próprios afetos"* (2 Coríntios 6.12). Esse é o ponto chave. Nossos sentimentos nos limitam. Nosso apego à imagem que sempre tivemos de nós. Nosso medo de mudar. A insegurança de dar um passo sem garantia palpável de que vai dar certo.

Se a sua motivação vier do seu coração, você está perdido. Ele é o maior limitador que existe. Mas, se sua motivação vier da sua fé, você estará conectado com o Maior quebrador de limites que já existiu. Nem o limite maior — a morte — pôde vencê-Lo.

10º tom: Saiba aonde quer chegar

Muitas vezes a pessoa não chega a lugar algum porque não sabe aonde quer chegar. Imagine você, com um compromisso importantíssimo, um carro importado com o tanque cheio e um GPS de última geração. Se não tiver o endereço de onde precisa ir, adianta ter um carro bonito, um tanque cheio e um super GPS? Na verdade, tudo isso se torna inútil e você nem vai sair de casa.

A mesma coisa acontece com quem está cheio de potencial, capacidade de vencer, muitas vezes até bem preparado e cheio de fé. Sem saber o que quer, não vai para frente. Você tem que saber aonde quer chegar. Já pensou nisso? Talvez diga "ah, eu quero arrebentar!", mas, já pensou em que você quer arrebentar? Onde? Fazendo o quê? Com qual objetivo? Quanto menos genéricas suas aspirações, mais completo estará o endereço do seu GPS.

Algumas pessoas acham difícil definir aonde querem chegar. Até entendem a importância de estabelecer metas, mas não fazem a menor ideia de como fazer isso. Não percebem que já têm todas as condições necessárias para saber exatamente o que querem na vida e aonde querem chegar. Se é muito difícil para você fazer uma lista das coisas que você quer, tente começar fazendo uma lista das coisas que você não quer.

É estranho, mas às vezes nossas metas positivas podem vir de situações negativas. Saber o que não quer pode ser o primeiro passo para definir aquilo que você quer. Isso é transformar algo potencialmente ruim em uma coisa boa. Todas as vezes que desanimar, pensar em sua meta lhe dará forças para se reerguer.

Foi mais ou menos isso que aconteceu comigo. A meta que estabeleci para mim mesmo, ainda muito jovem, veio de uma situação aparentemente negativa. Trabalhei para um homem que pintava painéis e era viciado em álcool. Só depois que comecei a trabalhar lá é que descobri que ele estava sempre bêbado e, por isso, não tinha condições de trabalhar, embora mantivesse na porta a propaganda do serviço de pintura de painéis. Quem daria conta das encomendas, se o profissional não estava em condições? Então, resolveu contratar um ajudante: eu. Aceitei, mas ele se esqueceu de sua responsabilidade de ensinar o serviço, já que eu não tinha experiência.

Eu tinha 13 anos e ele passava todas as encomendas para mim. Eu tentava fazer, mas, obviamente, não conseguia fazer igual a ele. Habituados à qualidade de um profissional, os clientes reclamavam, como já era de se esperar. E, então, ele vinha brigar comigo. Eu me sentia muito humilhado e impotente diante daquela situação. Fiquei uma semana nesse lugar e me revoltei contra o que estava vivendo. Ali eu decidi que nunca mais ia trabalhar para ninguém. Iria montar meu próprio negócio.

De alguma forma, aquilo me impulsionou. Eu era menor de idade e já emancipado quando montei meu primeiro comércio. Em todas as dificuldades que enfrentei no início, sempre tive meu objetivo em mente: ser independente e nunca mais trabalhar para os outros. Essa era minha meta. Sempre que surgia uma dificuldade, pensava: "não posso desistir. Nunca mais vou trabalhar para os outros. Vou ter minha independência".

Em uma idade em que muitos jovens hoje só pensam em videogame, eu estava trabalhando para desenvolver minha independência financeira. Depois de passar os primeiros anos da minha vida em uma situação privilegiada, vi a condição econômica da família decair com a separação dos meus pais. Em vez de ficar deprimido, resolvi reagir. Como percebi que não queria trabalhar para os outros, tive que traçar meu plano de ação a partir daí.

Primeiro, comecei a vender desinfetante de porta em porta. O negócio foi crescendo, comprei uma bicicleta de carga para conseguir entregar a mercadoria nos estabelecimentos comerciais. Em pouco tempo, o negócio cresceu mais e comprei um carro para dar conta das encomendas nos hotéis e comércios da região.

Eu sabia aonde queria chegar. Estava trabalhando para isso. Não demorou muito tempo e percebi uma forma de conseguir montar meu primeiro comércio fixo. Vou contar essa história mais para frente, neste livro. Mas sempre o que me impulsionava era aquela meta de ter minha independência financeira, de ter meu negócio próprio. E o que me fez definir essa meta foi a experiência humilhante de trabalhar para alguém que não levava sequer seu negócio a sério, quanto mais a minha vida!

Aquele homem não tinha compromisso com sua vida e com sua saúde, como poderia ter algum compromisso com o meu crescimento? Naquele momento, percebi que teria que tomar as rédeas da minha vida e crescer por conta própria. Se você não fizer algo por você, não espere que alguém faça. Se ninguém quer lhe dar uma oportunidade, crie uma oportunidade. Foi uma situação aparentemente ruim, mas que se transformou em uma coisa boa.

Mais tarde, já estabelecido na vida, empresário e prosperando, minha vida deu uma guinada. Eu estava prosperando, mas, por dentro, tinha um vazio muito grande. Quando conheci minha esposa, a mãe dela fazia parte de uma comunidade cristã e fez o convite para que eu fosse junto. Coincidentemente, era a mesma igreja que meu padrasto frequentava. No começo, eu ia apenas por causa da namorada, mas, depois, percebi que aquela poderia ser a resposta para preencher meu vazio.

Realmente, consegui preencher aquilo que faltava na minha vida e, conforme fui me envolvendo e conhecendo a vida de pessoas sofridas, descobri dentro de mim uma nova vocação. Eu queria ajudar aquelas pessoas a usarem a fé e preencherem o vazio delas, também. Minhas prioridades mudaram e, de repente, descobri uma nova meta na minha vida: ajudar os outros a encontrarem o que eu encontrei.

Ninguém pode definir suas metas por você. Só você pode fazer isso. Olhe para a sua vida hoje e descubra para onde você está indo. Antes de definir aonde você quer chegar é importante saber onde está. Pare o seu carro. Conecte o seu GPS.

Aonde você quer chegar? O que o faria feliz? O que o deixaria realizado? Escreva como quer que sua vida esteja daqui a um ano. Quem você quer ser? Depois, analisando sua vida, pense no que precisaria fazer para alcançar a meta que definiu.

Caso perceba que precisa mudar de ramo, mas não sabe o que escolher, sinto informar que isso também é algo que só você pode definir. Faça uma lista das coisas que gosta de fazer e daquilo que faz com facilidade. Provavelmente há uma ou outra coisa que as pessoas o procuram para fazer. Consertar móveis? Fazer bolos? Aconselhar? Corrigir um trabalho de escola? Pesquisar? Vender? Analise suas habilidades e descobrirá seus talentos. O que você conseguiria viver sem fazer? E o que faria uma falta absurda na sua vida se tivesse que deixar de fazer? Aquilo que não conseguiria viver sem fazer provavelmente é o que você deveria estar fazendo.

11° tom: O caráter faz o homem

A parte mais importante de um grande edifício é aquela que ninguém vê: o alicerce. Com um alicerce firme, a construção pode crescer e o resultado se manterá forte e resistente a qualquer tempestade. Porém, se o alicerce for fraco ou ruim, o edifício pode até crescer e ter a beleza que for, mais cedo ou mais tarde, irá ruir.

Da mesma maneira, a vida de quem quer ser grande e ter sucesso é sustentada por um alicerce que ninguém mais vê e que precisa ser forte: o caráter. A base do caráter é a ética. Os gregos chamavam de "ethos" o conjunto de ações e hábitos que permitem que as pessoas se relacionem de forma saudável umas com as outras. O cristianismo sintetiza muito bem esse conceito, quando ensina: *"Tudo quanto, pois, quereis que os homens vos façam, assim fazei-o vós também a eles; porque esta é a Lei e os Profetas"* (Mateus 7.12).

É a maneira mais prática de se cumprir os mandamentos de Deus e também a lei dos homens. Se mantiver isso em mente, você não irá mentir, a menos que queira que os outros mintam para você (e nunca conheci alguém que gostasse disso). Nunca irá trair, pois não gostaria de ser traído. Nunca irá enganar, pois não gostaria de ser enganado. Nunca irá prejudicar alguém, pois não gostaria de ser prejudicado.

Ninguém quer fazer negócio com uma pessoa mentirosa, desonesta e trapaceira. Você não confia em um sujeito que não tem caráter ou que é mau caráter. A pessoa desonesta pode parecer se dar bem em um primeiro momento, mas seu sucesso não dura muito tempo. Ainda que ganhe dinheiro, certamente não vai ser feliz na vida amorosa, nem terá paz de espírito, muito menos será uma pessoa realizada. E, como sabemos, sucesso abrange todas as áreas.

Nas últimas décadas temos observado um trabalho forte de desconstrução de tudo o que construímos como sociedade. O valor da palavra tem sido relativizado. Hollywood e a indústria do entretenimento pregam que os homens podem ser bem-sucedidos e alcançar status, glória, riquezas e felicidade usando a mentira, a desonestidade e explorando tudo aquilo que antigamente era chamado de falha de caráter.

Incrivelmente, chegamos a um ponto em que o cidadão que faz questão de manter sua palavra, que valoriza sua honra e se pauta pela ética é visto como trouxa. Ninguém quer "ficar em desvantagem" e ninguém quer "ser passado para trás". Ninguém quer ser visto como bobo.

Quando toda a mídia lhe diz que os espertos estão se dando bem e que você é bobo por querer ser honesto, as pessoas ao seu redor começam a repetir isso, como robôs. Repare nisso. Se uma mulher é traída pelo esposo, não vai demorar para ouvir de uma "amiga": "Dê o troco! Se ele te traiu, traia também!" O mesmo acontece no mundo dos negócios. Você é traído por um sócio desonesto ou por um cliente mal-intencionado ou por um fornecedor corrupto e logo começa a ouvir os "conselhos" de fazer o mesmo com aquela pessoa ou com outra.

É comum que as sugestões para aceitar suborno, falsificar um documento ou subornar sejam acompanhadas de frases como: "todo mundo faz isso" ou "se não fizer assim, não vai sobreviver no mercado" como se o fato de todo mundo fazer abolisse a consequência ou apagasse o crime. O errado continua sendo errado, mesmo que todo mundo faça. Mas há uma corrente de pensamento que prega que não existe certo e errado. Acredito que esse pensamento tenha vindo diretamente do inferno.

Há um livro de um guerreiro chinês antigo, ainda muito utilizado na administração, que ensina a basear suas atitudes na dissimulação. Siga esse tipo de conselho apenas se você não quiser contar com Deus e não crê que colhemos tudo aquilo que plantamos.

Estamos sendo enganados. Não são os "espertos" que se tornam bem-sucedidos. Não há como ser bem-sucedido sem paz de espírito. E não há como ter paz de espírito sem uma consciência limpa. A consciência limpa gera energia e faz com que você seja capaz de construir uma trajetória de sucesso em absolutamente todas as áreas da sua vida.

Com padrões corretos de caráter, você terá um casamento bem-sucedido, filhos bem-criados, saúde em boas condições, amizades saudáveis, um trabalho que o faça feliz, recursos financeiros suficientes para que não lhe falte nada e, até mesmo, para ajudar outras pessoas.

Não há como separar as coisas. Não tem como ser corrupto no seu trabalho e ser correto na igreja. Não tem como ser correto no trabalho e desonesto no casamento. Suas atitudes seguem um padrão. Mantenha um padrão correto de caráter em todas as áreas e você evitará problemas.

Se já conheceu um mentiroso, infiel, desonesto, mesquinho e egoísta que seja feliz no casamento, tenha amizades verdadeiras, uma família unida e uma empresa próspera, cheque suas fontes. Provavelmente, elas estão mentindo. É impossível uma pessoa que cultive um caráter distorcido ser verdadeiramente feliz e próspera. Como eu já disse, pode até ter dinheiro, mas dinheiro não é sucesso. Ter dinheiro sequer é sinônimo de prosperidade. Prosperidade engloba muitas outras coisas, inclusive um caráter admirável.

No entanto, em uma cultura que relativiza os valores e desvaloriza a palavra, como conseguir se libertar dos hábitos ruins? Como parar de mentir se você foi ensinado desde cedo que esse era um recurso que poderia utilizar sem consequências?

Muitos mentem para se livrar de situações difíceis. Mesmo as mentirinhas que parecem inofensivas, como pedir à secretária que diga que você não está no escritório, fazem diferença ao moldar o seu caráter. Os hábitos são feitos de pequenas atitudes diárias. Qualquer mentira pode se transformar em um monstro no futuro e colocar você em situações ainda mais difíceis do que as que tentou evitar.

Ao contar a primeira mentira, terá de inventar mais duas ou três para sustentar a primeira. Você pediu à secretária para dizer a uma pessoa que você estava em uma reunião naquele momento, mas, na verdade, só não queria atender ao telefone. Quando encontrar essa pessoa novamente, caso ela pergunte sobre a reunião, terá de inventar alguns detalhes para dar credibilidade à primeira mentira. "Ih, era uma reunião chatíssima com o gerente". Segunda mentira. E, para completar, sua memória terá de ser muito boa, porque dali a três meses alguém pode lhe perguntar sobre o dia 13 de setembro e você terminará ouvindo um "ué, mas nesse dia você não estava em reunião com o gerente?"...

Adúlteros fazem isso com frequência. Em um determinado momento, estão mentindo tanto que uma mentira acaba contradizendo a outra. E qual é o resultado? Quebra de confiança, mágoas, falta de credibilidade e, por fim, o divórcio e feridas profundas. Vale a pena?

Pesquisas recentes comprovaram que o caráter é mais importante do que a inteligência para definir a probabilidade de uma pessoa alcançar sucesso. Com uma boa estrutura interior, você consegue construir o que quiser. Se os seus clientes sabem que podem confiar em você, há maiores chances de conseguir fidelizá-los. Como quer um cliente fiel se você mesmo não sabe ser fiel?

Se os seus funcionários confiam em você, é muito mais provável que formem uma equipe coesa, firme e que vista a camisa. Se o seu superior confia em você, as chances de crescer e ser respeitado são enormes. Se sua esposa (ou seu marido) confia em você, haverá paz dentro da sua casa. Se seus filhos confiam em você, conseguirão crescer com estabilidade. Aliás, confiança e respeito são duas coisas que só se conquistam por meio de um caráter irrepreensível. Se você mente, se é maldoso, se faz fofoca, se é infiel, se rouba ou se age com crueldade, não espere receber confiança e respeito de quem trabalha (ou convive) com você. Só colhemos o que plantamos. Essa é uma lei da vida.

No entanto, seja honesto, íntegro, fiel, bondoso, doador e discreto e terá a confiança e o respeito que tanto tem lutado para alcançar. Seja justo e não explore seus funcionários. Não engane seu chefe. Não enrole seu sócio ou seus clientes. Pode ter certeza de que manter um padrão de caráter e justiça tem muito valor diante de Deus.

Disciplina, autocontrole, concentração e princípios éticos são características que podem ser desenvolvidas, mesmo que você tenha crescido em um ambiente totalmente inadequado. Mas, como desenvolver essas qualidades de caráter se foi criado para achar que só quem é "esperto" pode se dar bem? Se a mentira tem (aparentemente) livrado você de ciladas e salvado a sua pele nos momentos mais complicados, como abrir mão dela?

Em uma palavra: **decisão**. A partir do momento em que decide abrir mão de um caráter cheio de furos para abraçar um novo caráter, haverá uma espécie de guerra dentro de você, entre seus antigos hábitos e sua vontade de mudar.

Nunca é fácil mudar, às vezes parece que, se age de uma determinada forma a vida inteira, jamais conseguirá agir diferente, mas isso é só impressão. A verdade é que manter-se firme em sua decisão lhe trará a mudança que tanto deseja. Eu tenho visto isso em meu trabalho. Conheci gente que cresceu na rua, na marginalidade e, ao buscar uma mudança de vida e de caráter conseguiu se transformar de forma surpreendente. Quando há decisão, não existe impossível.

12° tom: Mantenha sua palavra

Nossa sociedade tem relativizado os mesmos valores que a construíram. Aquilo que permitiu que nos tornássemos humanos e tivéssemos condições de estabelecer negócios e contratos de longo prazo hoje é visto como ultrapassado e descartável. Antigamente, não era necessário assinar contratos e registrá-los em cartório. Os negócios eram feitos com base na palavra. A palavra era o bem mais precioso de uma pessoa. Poderia não ter dinheiro, poderia não ter herança alguma para deixar a seus filhos, mas ter honra, caráter e honrar sua palavra era um grande patrimônio do qual ninguém abriria mão.

A maioria da nossa comunicação é feita por palavras. A palavra tem tanto poder que é capaz de destruir e, também, de construir. A todo momento estamos diante da escolha de usar nossas palavras com sabedoria ou com displicência. De modo geral, infelizmente, nossa cultura atual incentiva as pessoas a não prestarem a devida atenção às palavras que dizem.

Porém, mesmo que os hábitos mudem, as verdades não mudam. Ainda hoje, seu comprometimento com a sua palavra mostra quem você é. Como espera conquistar a confiança de seus subordinados, de seu chefe, de seu cliente, de seu cônjuge ou de seus filhos se está sempre quebrando promessas e voltando atrás com sua palavra e compromissos?

A maior causa de divórcio é justamente a quebra da palavra empenhada no dia do casamento. Da mesma forma, os maiores problemas dentro das empresas são causados pelo não cumprimento da palavra com os fornecedores, com os credores, com os clientes, entre os sócios ou nas relações trabalhistas. Se todos mantivessem a palavra, viveríamos em uma sociedade muito mais justa.

Algumas dicas práticas para evitar cair na armadilha das promessas não cumpridas:

Pare. Qualquer coisa que você disser, seja lá a que você for se comprometer, deve ser uma decisão consciente. A decisão que você tomar deve acompanhar suas palavras. Qualquer coisa que disser deve ser encarada por você mesmo como um contrato. Então, pense muito bem antes de formular uma frase.

Não prometa nada sem ter certeza de que poderá cumprir. Anote na agenda e faça um pacto consigo mesmo de fazer aquilo acontecer. Imagine que sua vida depende do cumprimento daquela promessa.

Não volte atrás. Se mudar de ideia a respeito de algo a que você já se comprometeu, não volte atrás. Ainda que fique no prejuízo, mantenha a palavra. Essa experiência vai ajudá-lo a ser mais responsável com o que disser no futuro.

Não diga o que as pessoas querem ouvir para agradá-las. Talvez você consiga agradar no primeiro momento, mas irá desagradar muito mais no longo prazo, quando elas perceberem que você não cumpriu o que prometeu.

Seja verdadeiro. Se você se compromete com várias coisas por ter um coração do tamanho do mundo e querer ajudar os outros, entenda: você ajuda muito mais ao ser verdadeiro.

Melhor não prometer. Anote em um lugar bem visível, até decorar: é melhor não prometer do que prometer e não cumprir.

Seja pontual. Se esforce para chegar sempre pelo menos 15 minutos antes de qualquer compromisso.

Aprenda a dizer não. Não diga "sim" a coisas que você sabe que não vai fazer.

Cuidado com as pequenas promessas. Se você disse que iria comprar alguma coisa de alguém, compre. Se disse a uma criança que iria levá-la para passear, leve. Se disse ao seu funcionário que ele ganharia um aumento, dê. Caso contrário, não prometa.

Vigie. Nunca é tarde para começar a desenvolver o hábito de ser uma pessoa de palavra. A partir de hoje, vigie tudo o que sair de sua boca.

Tenha coragem. Não queira fugir das situações com uma mentira. Enfrente.

Se esforce. Faça o sacrifício que for necessário para se tornar uma pessoa confiável.

As pessoas confiam em quem mantém a palavra. Isso constrói sua reputação. Faltar com a palavra faz com que você viva estressado. No fundo, sua consciência se incomoda. Se não dói agora, doerá no futuro, porque a consequência sempre vem.

A partir de hoje, se comprometa a honrar sua palavra. Comece honrando esse compromisso. Quando se é verdadeiro consigo mesmo, fica mais fácil ser verdadeiro com os outros.

13° tom: Olhe para cima

Nada do que nós, humanos, vemos como grande é realmente grande diante de Deus. Nossas riquezas até podem parecer grande coisa, mas tudo depende do ponto de vista. Neste mundo, o ouro é algo muito valioso, mas, se cremos no Deus da Bíblia, cremos no Deus que fez uma cidade em que as ruas são de ouro (Apocalipse 21.21). O que é valioso para nós, para Ele é asfalto. O que é realmente precioso para Ele é nossa vida, nossa alma. E isso é o que o ser humano menos valoriza, tanto que muitos, quando perdem dinheiro, entram em depressão, adoecem ou se suicidam. Perdem o que têm de mais precioso por causa de um punhado de asfalto.

Claro que devemos buscar o desenvolvimento financeiro e valorizar o que ganhamos com nosso trabalho, mas nunca podemos nos esquecer da posição que essas coisas devem ocupar em nossa vida. Saber estabelecer prioridades é o que lhe dará equilíbrio em sua conquista do sucesso. Em primeiro lugar, absoluto, está o seu relacionamento com Deus. Isso não significa seu relacionamento com a igreja ou cumprir rituais da sua religião. Não. O relacionamento com Deus é algo muito pessoal e não tem a ver com religião. Em segundo lugar, está o seu casamento. O relacionamento com o seu cônjuge pode afetar todas as outras áreas de sua vida. Em terceiro lugar, seus filhos. Por último, seu trabalho.

Parece estranho, não? Durante anos, revistas e livros de negócios nos levaram a crer que, se a pessoa quisesse ter sucesso, deveria colocar o trabalho em primeiro lugar. O executivo workaholic era visto quase como um herói. De uns tempos para cá, porém, o mercado se deu conta de que esse não é o melhor modelo de gestão de carreira.

O cidadão não vê os filhos crescerem, se afasta de casa, se divorcia da mulher, compromete seu patrimônio com pagamento de pensão, come mal, não se exercita, se envolve com uma moça mais jovem que passa o dia gastando seu cartão de crédito, se divorcia dessa também, precisa pagar mais uma pensão, se envolve com outra mulher, tem um infarto e vive à base de remédios. Ainda que sua conta bancária esteja recheada, você realmente pode dizer que esse sujeito tem sucesso? É claro que não! Ele pode ter muito dinheiro, mas não sucesso! Entenda uma coisa: sem equilíbrio, não há sucesso.

Há duas maneiras de se colocar o dinheiro em primeiro lugar. Uma delas é a mais óbvia, se preocupar em acumular bens materiais, sem se importar com mais nada. Isso — é bom dizer — não tem a ver com ser rico ou pobre. Alguém pode não ter muito dinheiro, mas só se importar com ele, a ponto de sequer admitir ajudar alguém ou abrir mão de alguma coisa (assim como alguém pode ser muito rico, mas colocar suas posses em segundo plano). Por não perceber essa diferença, muitas pessoas ignoram a segunda maneira de se colocar o dinheiro em primeiro lugar: se preocupar tanto com ele a ponto de tentar fingir que não se preocupa. O dinheiro é o centro da vida tanto dos que o enaltecem quanto dos que o desprezam. Os dois extremos estão errados.

Por exemplo, os religiosos que valorizam tanto o dinheiro que acham que desprezar a prosperidade é sinal de espiritualidade. Não é. Porque se cremos em um Deus tão grande, o mínimo que devemos ter é o melhor desta terra. Até porque, é uma promessa dEle: *"Se quiserdes e Me ouvirdes, comereis o melhor desta terra"* (Isaías 1.19).

A tradição católica fez com que muitos acreditassem que pobreza é sinal de santidade, mas isso não tem respaldo nenhum na Bíblia. Pelo contrário. As promessas de prosperidade estão espalhadas de Gênesis a Apocalipse. O resumo do pensamento bíblico a esse respeito é: *"Deus faz que o solitário viva em família; tira os cativos para a prosperidade; só os rebeldes habitam em terra estéril"* (Salmos 68.6).

O problema não é só conquistar. A pessoa pode conquistar com Deus ou sem Deus. Existem pessoas que nem acreditam em Deus e conquistam. Muitos têm dinheiro sem necessariamente terem nenhuma conexão com Deus. Mas dinheiro é papel. Ouro é asfalto. Tudo o que é realmente valioso não conseguimos sem Deus. A paz. A tranquilidade. O equilíbrio emocional para estabelecer todas as nossas conquistas e multiplicar o que temos sem, no entanto, perder o foco do que realmente importa. A família, a vida, a saúde, os recursos primários que nos dão condições de trabalhar e de viver. Essa é a base. Nossa força interior e nossa estrutura espiritual nos mantêm centrados para aguentar a correria e as reviravoltas da vida.

Por isso, construir um relacionamento com Deus é fundamental. Não estou falando em frequentar uma igreja ou cumprir rituais de alguma religião. Isso pode até trazer alívio psicológico temporário para alguém, mas não é capaz de mudar o interior de ninguém.

Relacionamento com Deus se constrói como se constrói qualquer relacionamento. Primeiro, você busca saber mais sobre a pessoa. Como ela é? O que ela pensa? Quais são seus interesses? Para descobrir isso, melhor ir direto à fonte: à Bíblia e ao próprio Deus.

Em uma oração sincera e honesta, diga a Ele que você está interessado em conhecê-Lo. Pode ser realmente honesto nessa oração, dizendo: "Deus, eu não sei quem o Senhor é, nem tenho muita vontade de fazer essa oração. Mas se o Senhor realmente existe, me ajude a Te conhecer".

E se você considera que já conhece a Deus, busque conhecê-Lo melhor. Talvez o que você conheça dEle é o que ouviu falar. Talvez tenha experimentado uma emoção e acha que teve uma experiência com Deus. Talvez ache que conhece a Deus por ser uma pessoa religiosa. Mas será que você realmente O conhece? Será que realmente O coloca em primeiro lugar? Como saber?

O que é colocar Deus em primeiro lugar? É consultá-Lo antes de tomar suas decisões. É se interessar em saber como Ele vê as coisas, para mudar sua própria forma de agir e pensar. É colocar a vontade dEle antes das suas escolhas e depender dEle. Não como uma influência abstrata, mas como uma pessoa real.

Aliás, um estudo recente mostrou que a experiência de conversar com Deus é neurologicamente real. As áreas do cérebro ativadas são exatamente as mesmas de uma conversa com uma pessoa visível. O cérebro não diferencia Deus de uma pessoa que nossos olhos podem ver. O mesmo neurocientista responsável por esse estudo, Andrew Newberg, descobriu, em outra pesquisa, que a oração, assim como a meditação, ajuda a melhorar a memória, deixando a área do cérebro responsável pela atenção mais espessa e maior com a prática. Além de tudo, há um efeito benéfico no controle da ansiedade, depressão e na diminuição da mortalidade. Também sugere que o cérebro de alguém que tem uma prática espiritual possui níveis mais elevados de dopamina, neurotransmissor associado ao aumento de atenção e motivação. Se você ainda não tem esse relacionamento com Deus e tem deixado sua espiritualidade de lado, deveria tentar.

Quando morava em Ziclague, Davi chegou em casa e toda a família tinha sido sequestrada: *"Davi e os seus homens vieram à cidade, e ei-la queimada, e suas mulheres, seus filhos e suas filhas eram levados cativos"* (1 Samuel 30.3). Diante daquela tragédia, todo o povo começou a chorar, até perder as forças. Mas, enquanto o povo ainda estava atordoado, pensando até mesmo em apedrejá-lo, o texto diz: *"porém, Davi se reanimou no SENHOR, seu Deus"* (1 Samuel 30.6). Enquanto o natural é todo mundo chorar, se amargurar e tomar decisões erradas, aquele que confia em Deus se reanima.

Ele consultou a Deus, que o fortaleceu. Davi recuperou tudo o que perdeu e teve muito mais do que antes, porque O colocou em primeiro lugar. Quando você coloca Deus em primeiro lugar, é fiel a Ele, acima de ser fiel à igreja, acima de ser fiel a seu marido, à sua esposa ou a si mesmo. Quando Deus está em primeiro lugar, tudo o que você tem se multiplica. Nada o derruba, nada o destrói.

Se todo mundo falhar, Ele não falha com você. Quando você tem consciência desse Deus, suas atitudes são diferentes. Não fica choramingando pelos cantos ou procurando consolo de ninguém. Quando tem visão da grandeza de Deus, você pode ser pequeninho, sua empresa pode estar dentro do quarto, mas você sabe que pode arrebentar porque Deus é grande. Pode ter uma idade avançada e ninguém acreditar mais em você, mas você crê. Quando fala com Deus, imagina um Deus poderoso, grande, porque O conhece.

Qual é o tamanho dEle? Na oração de Davi:

"Quando contemplo os Teus céus, obra dos Teus dedos, e a lua e as estrelas que estabeleceste..." (Salmos 8.3)

"Obra dos Teus dedos". Não das mãos. Dos dedos. Usamos os dedos para fazer coisas pequenas. Quando vamos colocar linha na agulha, por exemplo, usamos as pontas dos dedos. Tudo o que vemos é obra do dedo de Deus. Imagine se Ele colocar um dedo desses na sua vida!

No entanto, mesmo assim, muitos continuam inseguros e medrosos. Se decide fazer parceria com alguém grande assim, sobra alguma coisa para temer? Davi achava que não: *"O SENHOR está comigo; não temerei. Que me poderá fazer o homem?"* (Salmos 118.6) e *"O SENHOR é a minha luz e a minha salvação; de quem terei medo? O SENHOR é a fortaleza da minha vida; a quem temerei?"* (Salmos 27.1). Deus concorda com ele: *"Eu, Eu sou Aquele que vos consola; quem, pois, és tu, para que temas o homem, que é mortal, ou o filho do homem, que não passa de erva?"* (Isaías 51.12).

Muitos não veem nada grande acontecer em suas vidas porque têm diminuído Deus. Ninguém gosta de ser diminuído. Deus também não gosta. E só quando encontra alguém que não O reduz e que crê na Sua grandeza, Ele se manifesta.

Você achava que sua rua era grande? Sua cidade? Seu país? Agora, está tendo a oportunidade de ter um relacionamento com o Deus Todo-Poderoso, criador de tudo. Agora, sim, vai ampliar sua visão e entender o que é grandeza de verdade. Ele não abre uma portinha, Ele não dá uma ajudinha, Ele não melhora a sua vida. Com Deus, sua vida muda. O que você tem a perder?

Nosso universo tem cerca de 100 bilhões de galáxias. Não há como ter certeza desse número, pois é algo difícil de calcular, esse é um valor aproximado. Nós estamos em uma dessas galáxias, a Via Láctea. Como é difícil determinar a quantidade exata de estrelas em uma galáxia, existem cálculos "aproximados" que vão de 100 bilhões a 400 bilhões. Não se sabe ao certo. Mas ainda que consideremos o número de 100 bilhões, é uma quantidade absurdamente alta.

Uma das estrelas da nossa galáxia é o Sol. Em volta do Sol, orbitam nove planetas. E um desses é o planeta Terra, que tem 8,7 milhões de espécies de vida e nós somos uma. Apenas uma. E somos 7,2 bilhões de seres humanos. Tudo isso, criado pelos dedos de Deus. Olha o tamanho desse Deus. Imagine ter um pacto com Ele. Imagine a segurança. Imagine colocar a sua vida sob os cuidados dEle.

E, melhor ainda: mesmo sendo tão grande e tão poderoso, Ele é capaz de olhar cada um de nós e se aproximar como se tivesse o nosso tamanho. "Porque assim diz o Alto, o Sublime, que habita a eternidade, O qual tem o nome de Santo: Habito no alto e santo lugar, mas habito também com o contrito e abatido de espírito, para vivificar o espírito dos abatidos e vivificar o coração dos contritos." (Isaías 57.15)

14° tom: O poder da revolta consciente

Você sabia que toda pessoa de sucesso é revoltada? Não revoltada contra Deus, contra as pessoas ou contra o governo, mas revoltada contra a situação ruim. Revoltada contra a injustiça. A revolta consciente é uma não conformidade. A pessoa não se acomoda. E se não tem isso dentro de você, vou ensiná-lo a ter.

A revolta não é uma causa primária, ela é uma consequência. Ela nasce da visão que a pessoa tem da grandeza de Deus. Você sabe que Ele é muito grande, então, entende que não pode se conformar com nada que não seja compatível com Ele. Se Deus é tão grande, não faz o menor sentido aceitar uma vida mesquinha, de derrota, de miséria, de opressão. Simplesmente não faz sentido.

Como posso ser passivo diante de uma vida humilhante? Isso agita algo dentro de você. O seu ser não se conforma, é como se estivesse tudo torto no mundo. É a sensação de quem vê uma injustiça, de quem vê uma incoerência. Se não tem essa revolta dentro de si, procure desenvolver a sua visão a respeito de Deus. A sua forma de vê-Lo vai despertar ou não essa sua revolta. Lembre-se do capítulo anterior. Invista em seu relacionamento com Deus, para que possam trabalhar juntos.

Muitas pessoas também desenvolvem essa revolta porque creem que merecem mais do que têm. Por se verem grandes, não aceitam uma vida pequena. Isso também funciona e também gera revolta. O problema é que é algo que depende exclusivamente da sua autoconfiança. Se um dia você se sentir pequeno e diminuído diante da situação, não vai conseguir reagir com a revolta necessária. Por isso, conseguir colocar a fonte da sua revolta na sua visão da grandeza de Deus é bem mais seguro.

Quando o povo de Israel estava sendo oprimido pelos inimigos e passava pela humilhação de ter todo o seu trabalho roubado de tempos em tempos, Gideão descobriu dentro de si essa revolta. Ele estava malhando o trigo escondido no lugar em que se pisavam as uvas, para colocar a salvo dos inimigos. Quando o Anjo se aproximou e o saudou, dizendo *"O SENHOR é contigo, homem valente!"*, Gideão respondeu, com uma revolta sincera: *"Ai, senhor meu! Se o SENHOR é conosco, por que nos sobreveio tudo isto? E que é feito de todas as Suas maravilhas que nossos pais nos contaram, dizendo: Não nos fez o SENHOR subir do Egito?"* (Juízes 6.13).

Em outras palavras, Gideão estava afirmando: "Eu sei que Deus é grande e muito poderoso. Então, se Ele realmente está comigo, essa situação não faz o menor sentido!". Note que ele não se rebelou contra Deus, apenas demonstrou que acreditava no que tinha ouvido a Seu respeito durante todo esse tempo. Usou a lógica e encontrou uma situação incoerente. A resposta que recebeu foi surpreendente: *"Então, se virou o SENHOR para ele e disse: Vai nessa tua força e livra Israel da mão dos midianitas; porventura, não te enviei Eu?"* (Juízes 6.14). "Vai **nessa** tua força". A força de Gideão era a sua revolta.

O que eu chamo de "revolta consciente" muitos podem chamar de "inconformismo positivo", que é quando a pessoa, com a motivação de melhorar, de resolver um problema, se dispõe a atitudes criativas e corajosas, independentemente da dificuldade que possa enfrentar, pois jamais se rende.

No revoltado Deus tem um aliado. O revoltado é diferente. O olhar é diferente, as atitudes são diferentes, o comportamento é diferente, a postura é diferente. E os resultados que ele alcança também são diferentes.

Quem manifesta essa revolta, é uma tocha. Queima e ilumina. Tem um fogo queimando dentro de si que não o deixa se acomodar, que não o deixa se entregar e que o faz partir para cima de qualquer situação. Essa revolta é a sua força, ela joga o problema na lona, dando o soco certeiro. Em vez de viver apavorada com os problemas, a pessoa reage de tal maneira que o problema passa a ter medo dela, porque sabe que ela não vai dar descanso até sua vida mudar. É uma questão de honra. A situação pode estar horrível, mas continua lutando.

Qualquer problema age como um rolo compressor. Se você recua, ele avança até esmagar absolutamente tudo. Se ficar calado, inerte diante da situação, é como se estivesse consentindo, dando permissão ao rolo compressor para avançar. Como no dito popular "quem cala, consente". Mas quando você tem essa revolta motivadora dentro de si, não fica calado.

Entenda bem: quem manifesta a revolta consciente não fica com problemas com as pessoas, nem reclama. Talvez até fique calado diante das outras pessoas, mas não fica calado diante de Deus. Quando a pessoa está revoltada, fala com Deus de forma diferente. Fala como quem crê no poder que Ele tem e em Quem Ele é. Como quem não espera menos dEle.

Mas, cuidado: há uma grande diferença entre "revolta" e "rebeldia". Meu colega Guaracy Santos explicou da seguinte maneira: *"A rebeldia é diferente da revolta. A revolta é racional, ela empurra para Deus. A rebeldia é um desespero, porque leva a pessoa a pagar mal com mal, a tentar fazer justiça com as próprias mãos."* Perfeito. A revolta é racional. A rebeldia é emocional.

Outro personagem de que me lembro quando falo de revolta é Jó. Sei que muitos só o ligam à paciência, mas ele era assumidamente revoltado. Ele disse:

"Ainda hoje minha queixa é de um revoltado, apesar de a minha mão reprimir o meu gemido. Ah! Se eu soubesse onde O poderia achar! Então, me chegaria ao Seu tribunal. Exporia ante Ele minha causa, encheria a minha boca de argumentos. Saberia as palavras que Ele me respondesse e entenderia o que me dissesse. Acaso, segundo a grandeza de Seu poder, contenderia comigo? Não; antes, me atenderia" (Jó 23.2-6).

A certeza de que Deus o atenderia e resolveria Sua situação era tão grande que ele queria encontrá-Lo pessoalmente.

Deus permite que você seja ferido, provocado, machucado, para sua fé se aquecer. Ele não deseja, nem planeja, mas permite. Quanto mais problemas, mais revoltada a pessoa fica — ou deveria ficar. Quanto mais lutas, mais a fé da pessoa se acende. A revolta é tão forte que ninguém consegue tirar de dentro dela o que ela quer. E quanto mais difícil fica, mais ela crê, mais ela acredita que aquilo vai acontecer e mais força ela coloca. Ninguém consegue tirar de dentro de um revoltado aquilo que ele quer.

O que você quer? Recuperar o que perdeu? Respeito? Credibilidade? Tudo o que deseja de volta, se você se revoltar de maneira racional e convicta, alcançará.

Eu me lembro da história de uma senhora que estava no hospital, já desenganada pelos médicos. Uma voluntária que trabalha conosco levou para ela uma Bíblia de presente e lhe disse que Deus é grande. Imediatamente, aquela senhora pegou a Bíblia e falou com Deus: "Eu estou morrendo. Vou dormir hoje em cima dessa Bíblia. Se o Senhor é grande mesmo como ela está falando, se eu amanhecer morta, todo mundo vai saber que confiei na Tua Palavra e morri. Mas, se o senhor me curar, eu vou falar para todo mundo que essa Palavra é poderosa".

Daquele dia em diante, ela começou a melhorar, viu o resultado de sua fé e surpreendeu os médicos com sua recuperação. Ela só teve essa história de superação para contar porque estava indignada. E não estava indignada contra Deus, mas contra a situação que não parecia fazer sentido.

O que atrapalha o nascimento dessa revolta justa é o pensamento religioso (embora antibíblico) de que Deus prova as pessoas com desgraças, doenças e miséria. Esse pensamento faz com que a pessoa fique em dúvida, achando, por exemplo, que Deus seria um pai capaz de colocar um câncer em seu filho para prová-lo. Que pai cruel seria esse!

Essa ideia foi tirada da tradição religiosa, não tem absolutamente nada a ver com a descrição bíblica do caráter de Deus. Sempre que o povo estava próximo de Deus, andando em Seus caminhos, tinha a garantia da proteção. Se o povo se desviava do caminho, ficava à mercê dos problemas naturais, sem proteção. Essa mesma garantia temos hoje. Deus não é torturador. As dificuldades existem para serem superadas por meio dessa revolta racional.

15° tom: Não fuja da luta

Abraão e Sara eram casados, mas ela era estéril. Naquela época e na cultura deles, não ter filhos era vergonhoso. E a cultura também permitia que a esposa escolhesse uma serva para ter filhos de seu marido por ela. Sara, então, convenceu Abraão a ter um filho com sua serva Agar. Porém, quando o bebê Ismael nasceu, Agar não queria mais ser tratada como serva e a situação entre as duas começou a ficar insustentável. Depois que Sara deu à luz seu próprio filho, Isaque, convenceu seu marido a mandar a serva e o jovem Ismael embora.

Agar foi com o filho para o deserto, sem saber exatamente qual caminho tomar. Quando acabaram os mantimentos que Abraão havia dado para a viagem, Ismael passou mal e já não conseguia continuar. Agar, então, largou o filho e se afastou, pois não queria vê-lo morrer. "*Tendo-se acabado a água do odre, colocou ela o menino debaixo de um dos arbustos e, afastando-se, foi sentar-se defronte, à distância de um tiro de arco; porque dizia: Assim, não verei morrer o menino; e, sentando-se em frente dele, levantou a voz e chorou*" (Gênesis 21.15,16). Agar olhou para a situação e já estava desistindo.

Tem gente que, ao ver sua empresa falindo, se afasta. Quando parece que não vai ter mais jeito para o problema, vira as costas e foge. Mas é nessa hora que você tem que tomar a frente, dar a cara a bater e assumir a promessa que Deus deu.

"Deus, porém, ouviu a voz do menino; e o Anjo de Deus chamou do céu a Agar e lhe disse: Que tens, Agar? Não temas, porque Deus ouviu a voz do menino, daí onde está. Ergue-te, levanta o rapaz, segura-o pela mão, porque Eu farei dele um grande povo. Abrindo-lhe Deus os olhos, viu ela um poço de água, e, indo a ele, encheu de água o odre, e deu de beber ao rapaz." (Gênesis 21.17-19)

Ismael não se esqueceu da promessa que recebeu de Deus. Ali, mesmo morrendo, sua voz foi ouvida. A voz de sua fé. A voz de sua confiança na promessa. Deus não se esqueceu do que havia prometido e os dois foram resgatados. Note que a saída da situação de Agar estava bem diante dos seus olhos, mas ela não tinha conseguido ver. Estava tão envolvida com o que parecia estar acontecendo que não percebeu o que realmente estava acontecendo. Os olhos dela foram abertos para a realidade: existe uma saída para o seu problema. Você verá a saída se não olhar para a situação, mas se lembrar de que há uma promessa para você.

Hoje não vai aparecer um anjo falando audivelmente do céu, para lembrá-lo de que Deus ouviu suas orações. Mas isso ficou registrado justamente para que jamais nos esqueçamos de que Ele nos ouve. Se focar em Deus em vez de focar nos problemas, Ele abrirá seus olhos para a solução.

Desistir de lutar seria fatal para Ismael e Agar, assim como tem sido fatal para muitas empresas todos os anos. Há um número alto de empresas que fecham com cinco anos de vida, variando de 50% a 70%, dependendo da época. Algumas não sobrevivem ao primeiro ano. Há empresários que não se preparam para as dificuldades e se assustam quando elas vêm.

Eu comparo a administração de uma empresa com andar de bicicleta. Há momentos em que você está em um local plano, está "na boa", não precisa fazer grande esforço. Mas, quando se está subindo a ladeira, é preciso colocar mais força. E quando a ladeira é muito alta, é preciso empurrar. Em outros momentos, você se depara com uma escada e tem que carregar a bicicleta enquanto sobe os degraus.

Não pense que vai ser fácil só porque não tem patrão. É muito mais cômodo ser funcionário. Quando você é seu próprio patrão, tem que aprender a enfrentar desafios. Quem tem seu negócio próprio tem que matar um leão todo dia. É comum quem se depara com as primeiras dificuldades acabar desistindo e resolver trabalhar para os outros, pois é mais seguro.

Ainda bem jovem, com 17 anos, comprei meu primeiro comércio, uma mercearia. Além da mercearia, comprei a casa que ficava nos fundos. Os primeiros tempos foram tão corridos que fiquei mais de quarenta dias dormindo no balcão. Então, quando parecia que tudo estava se estabilizando, eu resolvi, finalmente, me mudar para a casa dos fundos. Foi a primeira noite em que dormi em uma cama depois de mais de quarenta dias de trabalho puxado. Então, literalmente apaguei naquele colchão.

No dia seguinte, levantei disposto para um novo dia de trabalho, e me espantei ao tentar abrir a porta do comércio e perceber que ela já estava aberta. Não parecia verdade. Parecia que alguém tinha feito uma brincadeira de muito mau gosto. Mas não era.

Depois daquele mês inteiro de sacrifício, justamente quando eu achava que a coisa tinha começado a andar, alguém invadiu o estabelecimento e levou a maior parte da mercadoria. Fui andando entre as prateleiras, sem conseguir acreditar. Foi um choque. Eu tinha ficado com uns 20% da mercadoria, não tinha dinheiro para repor e sabia que ninguém iria querer vender para mim, acreditando que eu não teria como pagar.

Naquele momento, diante da situação caótica, senti o baque e percebi que tinha uma escolha a fazer. Ou me entregava diante daquela situação ou tomava uma atitude forte. Se eu contasse para alguém o que tinha acontecido, teria problemas. Então, tirei força da minha fraqueza e encarei a situação sem contar para ninguém. Pensei: "não posso desistir"; "não vou fracassar". Era uma questão de honra. Eu tinha um objetivo. Não queria trabalhar para os outros e o ladrão podia ter roubado minha mercadoria, mas eu não iria permitir que ele roubasse meu sonho.

Arrumei a mercadoria que sobrou e entrei em contato com os fornecedores. Eles estranharam o fato de eu querer repor o estoque tão rápido, mas eu falei com eles em um tom de voz tão entusiasmado, que eles acreditaram que meus negócios estavam indo muito bem. "Olha, eu preciso de mais mercadoria, porque as prateleiras já estão todas vazias!" Com certeza devem ter pensado que eu tinha vendido tudo. Quando alguém me perguntava como eu estava, eu dizia que estava muito bem. Nunca reclamei para ninguém, nunca me lamentei. Eu sabia que iria conseguir me levantar.

Recomecei, então, comprando mercadoria fiado, mas sem dizer a ninguém o que tinha acontecido. Consegui pagar os fornecedores aquele mês e realmente me recuperei. Comecei a prosperar. Pouco tempo depois, montei uma loja de bicicletas e, já casado, montei uma bomboniere para a minha esposa e uma sorveteria. Comecei a vender carros e comprei máquinas de videogame para alugar.

Fui desenvolvendo a vida empresarial desde cedo, com essa visão de fazer dar certo. No começo, aquele furto quase me fez parar, pois eu não esperava. Porém, a dificuldade me mostrou a minha força. Eu descobri uma força que nem sabia que tinha e foi isso o que me deu condições de sustentar os negócios que vieram depois.

Se tem uma oração que aqueles que querem vencer nunca devem fazer é: "Deus, me livre das lutas!". Deus é o Senhor da guerra, o Senhor dos Exércitos. Ele permite que passemos por lutas não para nos ver sofrer, mas para que tenhamos uma oportunidade de vencer. Mude sua visão sobre as guerras. Em vez de enxergá-las como prelúdio da derrota, veja como uma pré-vitória. Peça a Deus força, sabedoria e estratégia para vencer as lutas. Quem foge da luta deixa o seu espaço para que outra pessoa venha ocupar. Escolher lutar transforma suas piores dificuldades em força para avançar. Se não tiver luta, como vai ter vitória?

16º tom: Força e coragem

Josué foi escolhido como o líder que levaria o povo de Israel até a terra que Deus havia prometido. Porém, apesar de já terem direito àquela terra, eles tiveram que lutar por ela. Nada diferente de hoje, pois, apesar de já termos direito ao melhor desta terra, isso não nos livra de ter de lutar. Mas sabemos que vamos vencer.

O conselho que Deus deu a Josué serve para todos nós, hoje. "*Tão somente sê forte e mui corajoso*" (Josué 1.7). O primeiro conselho é ser forte. Temos que ser fortes para dizer a nós mesmos que vamos vencer. O forte não é o que diz aos outros "eu vou vencer!", mas o que consegue dizer isso a si mesmo nos momentos difíceis. Quando ouve uma má notícia, o forte diz, para si, que vai virar o jogo.

É preciso ser forte para começar do zero; é preciso ser forte para tomar punhalada de um sócio e não se entregar. É preciso ser forte para encarar a dificuldade e para enfrentar os dias maus, aqueles dias em que tudo dá errado. Para que Deus quer você forte? Para não se entregar. Para quando for pego de surpresa, continuar lutando. Forte para não parar nunca e superar tempestades.

Falamos coisas para nós mesmos o tempo inteiro. Esse diálogo interno pode ser positivo ou negativo e afeta nossas atitudes, nossa saúde, nosso humor e nosso futuro. O que você diz a si mesmo é ainda mais importante do que o que você diz em voz alta, pois seu cérebro leva mais em consideração. A resposta é imediata. Por isso, monitore o que tem dito para si. Você tem controle sobre isso, ainda que tenha se habituado a falar negativamente. Entenda que o seu diálogo interno pode enfraquecer ou fortalecer o seu interior. Está em suas mãos deixar de ser fraco.

Deus não trabalha com quem é fraco. O que você tem dito para si? "Não aguento mais", "tá difícil", "tô cansado", "eu tô velho"... O que diz para si mesmo? Quanto mais luta, mais aparecem dias em que tudo dá errado. Porém, quando você é forte, isso não o desanima, você pensa: "foi difícil hoje, mas amanhã vai descomplicar".

Quando a pessoa é forte, aguenta pancada. Uma mulher que participa do Congresso para o Sucesso contou que vivia de favor na cozinha de um apartamento e, quando alguém do andar de cima lavava louça, caía água nela e no filho. Era uma situação humilhante. Talvez outra pessoa tivesse desistido, entrado em depressão, mas ela suportou e não desistiu de lutar para sair daquela situação. E, de fato, deu a volta por cima. Hoje tem sua própria casa e estabilidade financeira.

Aprenda uma coisa: não existe luta que demore a vida inteira, não existe dificuldade que nunca acabe. Por isso, vale a pena desenvolver essa força. Sim, porque a força interior pode ser exercitada, como a força física. Não importa se você não se sente forte. O que faz diferença é a sua **decisão** em se tornar mais forte. E não há outra escolha se quer ter sucesso e sobreviver neste mundo.

A força vem quando você exercita seu poder de decisão acima do sentimento. Você não espera sentir vontade para agir. Quando o médico lhe diz que você precisa fazer exercícios físicos, por exemplo, não pode esperar sentir vontade. Se esperar "sentir", nunca vai sair de casa, afinal de contas, se exercitar ainda não é um hábito seu e qualquer mudança na rotina terá de ser feita na base do sacrifício. A solução é usar o poder da decisão.

Ao **decidir** incluir os exercícios na sua rotina, você ignora sua vontade, ignora seu impulso natural e jamais será vencido pela preguiça (pode até *sentir* preguiça, mas vai fazer o que precisa ser feito, independentemente do que está sentindo). Essa é a força do vencedor. Essa é a força de quem alcança o sucesso. Essa é a força que Deus ordenou que Josué tivesse. A **decisão** o manteria firme na batalha até a vitória. A decisão o faria levantar para uma nova batalha mesmo quando estivesse cansado. A decisão não nos deixa desistir. É a decisão — e não a vontade — que você precisa exercitar.

Deus disse também para ser corajoso. Coragem não é não sentir medo. É natural que o sentimento venha diante de alguma situação difícil. A coragem se manifesta na sua **reação** ao medo. Quando ignora o medo que sente e age, com base na certeza, você está sendo corajoso.

Coragem para reagir de cabeça erguida. Coragem para "meter as caras", coragem para arriscar, coragem para não ter medo do inimigo, coragem para meter os dois pés na porta. O medo faz a pessoa recuar e a coragem empurra para frente.

"Forjai espadas das vossas relhas de arado e lanças, das vossas podadeiras; diga o fraco: Eu sou forte." (Joel 3.10)

Não seria fácil transformar materiais de trabalho em armas de guerra e o fraco certamente não teria *vontade* de fazer isso. Mas, para fazer isso, o fraco deveria deixar sua vontade de lado, esquecer que estava *se sentindo* fraco e **decidir** ser forte. Ao agir, transformando suas ferramentas em arma, ele mostraria a força. Decisão e ação transformam fracos em fortes. Primeiro, por dentro. A mudança da situação exterior é apenas consequência.

O que você tem a perder?

Quando a pessoa tem essas duas qualidades — força e coragem — ela conquista. Aguenta o tranco que for e vai em frente. Força e coragem são os ingredientes de uma das principais características da pessoa de sucesso: a perseverança.

17º tom: Nem sorte, nem perfeição

Uma das maiores mentiras que já contaram neste planeta (e olha que foram muitas!) é que "sorte" é fator decisivo na vida de alguém. Quem contar com a sorte, com o fator aleatório, estará perdido. Se você quer ter sucesso, terá de agir e contar com a fé, não com a sorte. Trabalhar, tendo convicção do resultado que você espera, é a forma mais eficiente de conseguir alcançar o que deseja. Confiar em sorte ou temer o azar fará apenas com que você perca o controle do seu destino e o entregue ao acaso. E — devo avisá-lo desde já — o acaso não é boa companhia para ninguém.

Ao contrário do que muitos pensam, confiar em Deus e contar com a fé não exclui o trabalho duro. Deus nunca prometeu abençoar preguiçosos. Pelo contrário, Ele deixou claro que a preguiça leva à pobreza e que abençoaria o trabalho de nossas mãos. Ou seja, tem que trabalhar, tem que se esforçar. A diferença é que há a garantia de que esse esforço trará resultado.

Outro mito que atrapalha muitos empreendedores é a ideia de que as coisas devem ser feitas com perfeição. Acreditando nisso, muitos ficam paralisados e não fazem nada, porque acham que, se não fizerem perfeito, é melhor nem fazer. Na verdade, o mais importante é fazer. Agir. Faça o seu melhor, sim, mas o melhor que você consegue fazer nem sempre é o melhor que você idealiza. Persiga o seu ideal, mas trabalhe com o real. Permita-se fazer algo "imperfeito" e vai descobrir que essa é a única maneira de aprimorar o seu trabalho. Se não fizer nada, não terá nada a aprimorar.

Não esconda o seu talento. Não enterre aquilo que você sabe que poderia multiplicar. Você só vai multiplicar o seu ganho se souber quais são e como usar os seus talentos. E isso, apesar de ser de graça, nem todo mundo se propõe a fazer. É triste, mas muita gente vive neste planeta por 70, 80, 90 anos sem descobrir seus talentos, e vive com o que "a vida lhe trouxer", contando com a "sorte" e o acaso, sem ir atrás do que realmente quer.

Provavelmente, o ensinamento que seus avós passaram para os seus pais e que estes passaram para você com respeito à vida financeira foi: "Estude bastante, tire boas notas na escola para quando crescer poder arranjar um bom emprego". Vale o alerta: se tem passado isso para seus filhos, por favor, pare! Você deve educá-los para uma visão maior. Seus filhos devem ser educados para serem líderes. Para descobrirem e desenvolverem os seus talentos, assim como você deve fazer.

Claro que é importante estudar, mas o objetivo da vida de uma pessoa não pode ser arranjar um emprego e se acomodar, sendo liderado pelos outros para sempre. Se alguém vai ter de ser líder, por que não você? Por que não seus filhos? O líder entende que o estudo não está só nas salas de aula, nem apenas no ensino formal. O estudo está nos livros, na vida, nas pesquisas, em uma mente aberta e operante, pronta a absorver novas ideias e rever seus conceitos.

Você tem talento. E provavelmente tem mais que um. Mas será que já os descobriu? Caso sim, em que os tem usado? E o quanto tem investido neles? Se não arriscar e ficar só esperando perfeição, como vai descobrir seu talento? Ou como vai desenvolvê-lo?

Descubra o seu talento e use-o para se tornar um líder, para ser um empreendedor, para ser o seu próprio patrão. Os benefícios e a estabilidade que um bom emprego pode lhe proporcionar provavelmente não serão suficientes para fazê-lo rico. Então, se é esse o seu objetivo, comece a pensar como um líder para tornar-se um. Inspire-se em líderes e, muito em breve, seus filhos e as pessoas ao seu redor serão inspirados por você.

E se o seu objetivo não é ter seu próprio negócio, tudo bem, vá na sua fé, não há nada de errado nisso, mas, mesmo assim, seja um funcionário-líder. Seja aquele que inspira os demais! Você não precisa ser grande para ter grandes pensamentos. Você precisa ter grandes pensamentos para se tornar grande.

Saia da sua zona de conforto, use seu tempo livre para pensar em estratégias de como ganhar dinheiro e coloque essas estratégias em prática. Se a primeira ideia não der certo, vá para a segunda. Se essa também falhar, vá para a terceira. Você só não pode entregar os pontos. Um líder é determinado e não aceita um não como resposta!

Assim, você toma as rédeas do seu próprio destino e, com o direcionamento dado por Deus, conseguirá escolher os melhores caminhos. Não depende mais de sorte, de acaso, de acontecimentos naturais. Depende apenas da sua fé, da sua certeza, do seu trabalho e da sua confiança. Aí, sim, tem condições de ter sucesso em qualquer área em que se dispuser a trabalhar.

18º tom: Pense grande

Sucesso não combina com preconceito, com mente pequena. A pessoa que quer ser líder deve ter uma mente aberta, desbloqueada. Infelizmente, a maioria tem mente pequena e é por isso que não enxerga a quantidade enorme de oportunidades existentes no mercado. A pessoa que tem a mente desbloqueada consegue enxergar as lacunas do mercado e se posicionar da melhor maneira possível para crescer.

O Brasil tem um histórico de colonização de exploração, por isso, a visão do brasileiro médio era muito limitada. Felizmente, isso tem mudado de uns tempos para cá, mas ainda é uma minoria que abriu os olhos. Boa notícia para você, que está lendo este livro para ser um dos poucos que escolheram fazer diferença neste mundo.

Nos Estados Unidos, as crianças são educadas para fazer a diferença, para influenciar. Elas crescem acreditando que tudo é possível. É algo cultural. Os jovens têm como desafio ganhar o primeiro milhão. Eles não são melhores do que os brasileiros, apenas aprenderam a pensar diferente. O brasileiro, quando fala alguma coisa grande para a família, já ouve: "cuidado, você é muito sonhador, ponha o pé no chão. E se não der certo? Não sei não..."

Eu sou brasileiro e trabalho na área de prosperidade há quase duas décadas. É um caminho árduo, porque muitas pessoas só querem conquistar "uma casinha" e se acomodam quando conseguem comprar uma, financiada em 20 ou 30 anos. Não veem o absurdo de passar décadas pagando prestações. Muitos morrem sem conseguir pagar, ou quitam à beira da morte. De que adianta?

Se você pode ter o que puder sonhar, por que sonhar pequeno? Se alguém vai ter um patrimônio considerável, por que esse alguém não pode ser você? Por que você acha que não tem esse direito? Já parou para analisar os seus pensamentos a respeito da sua vida? Por que se contentar com uma vida de dificuldades ou uma vida limitada? Se você fosse realmente acomodado por dentro, não estaria lendo este livro. Você quer coisas melhores. Você quer ter sucesso. Então, por que tenta se convencer de que não é bom o suficiente para ter mais?

O fato do Brasil ter sido colonizado com o pensamento católico e os Estados Unidos com o pensamento protestante é, historicamente, um dos grandes fatores para essa diferença cultural. A tradição do catolicismo valorizava a pobreza como prova de santidade e humildade. Já o protestantismo e o Judaísmo aprenderam na Palavra de Deus que, se somos um povo que segue ao Deus Vivo, temos a obrigação de mostrar, com nossa vida, a grandeza desse Deus. Por isso, temos de ser os melhores em tudo e ter o melhor. O melhor caráter, a melhor conduta, a melhor reputação, o melhor trabalho, o melhor resultado, o melhor salário, os melhores bens, a melhor família... Ainda que não alcancemos a perfeição, seguimos buscando o aperfeiçoamento. Sempre pensando em melhorar. Não para ostentar, mas para honrar o nosso Deus.

Essa herança cultural é tão forte que, mesmo hoje, quando grande parte da população brasileira não é mais católica e grande parte da população norte-americana não é mais protestante, a forma de pensar continua muito semelhante à que foi implantada pelos primeiros colonizadores.

Por que a forma de pensar não mudou? Por ser impossível mudar? Não, a forma de pensar não mudou porque as pessoas entraram no modo automático e pararam de pensar sobre isso. Não refletem e acham inútil buscar outro modo de agir. Alguns até querem novos resultados, mas querem continuar fazendo o que fizeram até agora, pois é o mais fácil. Quem quer sacrificar?

Nós podemos mudar nossos pensamentos. Podemos moldar nossa forma de ver o mundo. Podemos alterar nosso jeito, ampliar nossos horizontes e pensar fora da caixinha, da sacola, do pacote, de qualquer coisa que quisermos. Deus nos deu uma ferramenta excelente para nos ajudar em todas as nossas mudanças: nosso cérebro.

O cérebro normalmente trabalha em economia de energia. Ele vai repetindo nossos hábitos de forma automática para economizar. Por isso você tem a impressão de que não consegue pensar diferente, agir diferente ou aprender uma tarefa nova. Mas é apenas impressão, porque existe algo chamado "neuroplasticidade", que é a capacidade do sistema nervoso de fazer alterações para se adaptar. Desde pequenas alterações, como um novo aprendizado, até grandes alterações, como uma área do cérebro fazer a função de outra que foi lesionada por um acidente, por exemplo.

É por isso que comportamentos podem ser mudados, moldados e substituídos. Todos somos capazes disso. É essa plasticidade que usamos quando colocamos nossa fé em atividade para ampliar nossa visão, para entender que podemos tudo, que estamos aqui para influenciar.

Novas conexões são feitas, novos caminhos são criados, novos neurônios nascem quando se decide sair do modo automático. Porém, o cérebro não é capaz de fazer isso sozinho. Ele é uma máquina programada para economizar energia quando ninguém está apertando seus botões. Quem tem que decidir apertar novos botões é o ser que controla essa máquina. O software que faz com que ela funcione: você.

Somente a sua decisão e seu esforço são capazes de acionar esse mecanismo maravilhoso. Porém, uma boa notícia: depois que se habitua a sair de sua zona de conforto e ampliar seus limites aproveitando a capacidade de neuroplasticidade, vai ficar cada vez mais fácil ampliar seus horizontes e mudar sua vida. Basta entender que é possível e que o controle disso foi entregue por Deus às suas mãos.

19° tom: A palavra-chave do sucesso

Há um poder dentro de cada um de nós, capaz de mudar qualquer situação, por mais difícil que pareça. Esse poder é a chave do sucesso. Durante esses quase vinte anos em que trabalho aconselhando pessoas que querem mudar de vida, já vi muitas pessoas falidas se reerguerem, muitos casamentos destruídos serem restaurados, mendigos se tornarem empresários de sucesso, pessoas deprimidas e desanimadas se transformarem em profissionais alegres e bem-sucedidos, simplesmente aprendendo a usar a força desse poder. Não é mágica, é algo que trazemos dentro de nós, uma ferramenta que podemos aprender a manejar.

Costumo me referir a esse poder usando uma palavra que hoje em dia já está desgastada e mal interpretada, mas vou explicá-la para que você entenda exatamente o que eu quero dizer quando a menciono neste livro. A palavra é "fé". Hoje, essa palavra é usada de forma errada como sinônimo de "religião". Fé não tem nada a ver com religião. Na verdade, eu não entendo de onde tiraram que "fé" e "religião" são a mesma coisa. Se fosse, a Bíblia seria o primeiro lugar em que encontraríamos isso. No entanto, pelo contrário, é justamente na Bíblia que encontramos a descrição da verdadeira essência da fé: *"Ora, a fé é a certeza de coisas que se esperam, a convicção de fatos que não se veem"* (Hebreus 11.1).

Fé é certeza de coisas que ainda não existem. É a convicção do que ainda é invisível. É certeza transformadora. Tudo começa a mudar pela fé. Se você começa um trabalho com a convicção de que vai conseguir o melhor resultado, a probabilidade de ter o resultado que imaginou é maior do que a de fracassar. Na verdade, o risco de fracassar praticamente inexiste quando age movido por essa convicção interior.

Há pessoas que apenas com a fé em si mesmas já conseguem o inimaginável. Muitas nem têm religião, algumas nem creem em Deus, mas creem em si mesmas a tal ponto que conseguem sucesso no trabalho, pois têm uma firme convicção daquilo que esperam como resultado de seu esforço. Ainda que não esteja apoiada em um Ser Supremo e sobrenatural, capaz de fazer o impossível se tornar possível em todas as áreas da vida, ainda assim é fé e ainda assim materializa conquistas.

No entanto, tenho que ser honesto e falar daquilo que vejo funcionar na vida das pessoas que aconselho durante todos esses anos. Quando a fé não vem junto com um relacionamento com Deus, não funciona da mesma forma. Eu até já vi pessoas que acreditavam apenas em seu trabalho se reerguerem, mas é como uma casa construída na areia: sem alicerce firme, mais cedo ou mais tarde irá desabar. Talvez não completamente, mas uma área ou outra acaba desmoronando. A pessoa tem sucesso na vida financeira, mas não tem sucesso na vida amorosa. Ou tem sucesso no trabalho, mas não tem sucesso na saúde.

Porém, quando se alia a fé a um relacionamento com Deus (com Deus, não com uma religião), há uma explosão de poder. Quando está movido por esse poder, o ser humano é capaz de tudo. Josué estava no meio de uma batalha acirrada e não poderia interrompê-la ao cair da noite, para retomá-la no dia seguinte. Ele não poderia dar aos inimigos tempo de se recuperarem. Não aceitava parar antes de ganhar aquela guerra. Então, no calor da batalha, movido por essa fé sobrenatural que rompe a barreira do impossível, Josué deu uma ordem:

" 'Sol, detém-te em Gibeão, e tu, lua, no vale de Aijalom.' E o sol se deteve, e a lua parou até que o povo se vingou de seus inimigos. Não

está isto escrito no Livro dos Justos? O sol, pois, se deteve no meio do céu e não se apressou a pôr-se, quase um dia inteiro" (Josué 10.12,13).

Josué nem sabia o que estava falando. Ele achava que era o sol e a lua que se moviam, então deu ordem a eles. Deu ordem a astros que não ouvem e não pensam! E conseguiu o resultado que queria. A Terra parou sua rotação até a batalha terminar. Por quê? Porque, ao dar aquela ordem, Josué tinha certeza do que esperava. Ele esperava que o dia permanecesse claro até o final da luta. Ele falou com o sol e a lua movido por aquela convicção de que veria o que ainda não estava vendo: veria o sol não se pôr até o momento em que o último inimigo tivesse sido derrotado. Não importava como isso aconteceria, importava apenas o resultado.

Se você está passando por uma guerra em sua vida e tiver essa mesma disposição que Josué manifestou, se tiver certeza de que a luz permanecerá brilhando em sua vida até que tenha vencido essa situação, não existe a mais remota possibilidade de fracasso, porque você vai lutar com toda a sua força, tendo a certeza da vitória. Sim, porque se Josué determinou que o sol não iria se pôr e a lua não iria aparecer até que o povo de Israel tivesse vencido a batalha, é porque ele tinha certeza de que essa vitória viria.

Outro exemplo bíblico que prova que fé não é sinônimo de religião, mas sim de convicção, de profunda e inabalável certeza interior, vem do próprio Jesus. Preste atenção nessa história:

"Cedo de manhã, ao voltar para a cidade, teve fome; e, vendo uma figueira à beira do caminho, aproximou-se dela; e, não tendo achado senão folhas, disse-lhe: Nunca mais nasça fruto de ti! E a figueira secou imediatamente. Vendo isto os discípulos, admiraram-se e exclamaram: como secou depressa a figueira! Jesus, porém, lhes respondeu: Em verdade vos digo que, ***se tiverdes fé e não duvidardes****, não somente fareis o que foi feito à figueira, mas até mesmo, se a este monte disserdes: Ergue-te e lança-te no mar, tal sucederá; e* ***tudo*** *quanto pedirdes em oração,* ***crendo****, recebereis"* (Mateus 21.18-22).

Essa passagem é muito clara. *"Se tiverdes fé e não duvidardes"* mostra exatamente o que é a fé: o contrário da dúvida. Fé é certeza. Convicção pura e firme. Jesus estava dizendo que, se a sua fé não estiver manchada pela dúvida, você é capaz de fazer coisas admiráveis. E Ele não diz que você vai receber tudo o que pedir em oração, Ele diz que tudo aquilo que você **pedir em oração, crendo,** você vai receber. Se não crer, não recebe. Isso é pura lógica espiritual, sem religiosidade, sem sentimentalismos. E crer é a atitude causada por essa certeza.

Em outra narração dessa mesma história, diz: *"Por isso, vos digo que tudo quanto em oração pedirdes,* ***crede que recebestes****, e será assim convosco"* (Marcos 11.24). Ou seja, Ele estava dizendo que, se, ao pedir em oração, tiver certeza, plena convicção de que recebeu, você materializará aquilo que pediu, porque se transportará ao mundo da fé, ao reino de Deus, que do vazio fez surgir um universo inteiro. O que isso tem a ver com religião? Nada!

Mas — você também pode me perguntar — o que isso tem a ver com a nossa vida? Sim, porque estamos falando até agora de atrasar o pôr-do-sol quase um dia inteiro, de secar uma árvore desde a raiz com uma simples frase, coisas que nunca vimos acontecer pessoalmente. No entanto, esses são exemplos extremos desse poder em ação no passado, mas esse poder continua operante nos dias atuais. Porém, você precisa aprender a ativá-lo dentro de si.

Talvez não precise secar uma figueira ou não tenha fé para atrasar o pôr-do-sol, mas certamente tem batalhas urgentes a vencer e situações que precisa superar urgentemente. Talvez já tenha percebido que entre você e o que você quer há uma barreira. Parece que luta, luta, mas nunca consegue ultrapassar. Essa é a barreira que existe entre o mundo físico, visível, e o mundo da fé. Você percebe até pelas palavras. Quem está no mundo da fé só abre a boca para falar coisas positivas, porque se a fé é a certeza de coisas que se esperam, você deve tomar muito cuidado com aquilo que espera.

Se suas palavras são negativas, se está sempre esperando o pior, está se boicotando. Pense bem, você crê que o pior irá acontecer e ainda declara isso! Isso é fé usada negativamente, para alimentar dúvidas. Dúvida alimentada torna-se rapidamente dúvida concretizada. E é o caminho mais rápido para interromper o desenvolvimento de alguém. Ou seja, você está usando seu maior poder interior contra si mesmo! Está sabotando seus esforços com suas próprias palavras. Com esse tipo de autoboicote, nem precisa de inimigos.

Se parar para pensar em quantas vezes fez isso, vai perceber que esse poder existe dentro de você e que é muito, muito forte. Tanto é que tem ajudado a mantê-lo no fundo do poço. É como se tivesse uma espada afiadíssima e resolvesse lutar com ela segurando pela lâmina. Está com as mãos todas dilaceradas, acreditando piamente que é uma pessoa azarada e que tudo para você dá errado, pois tem sido atingido e nem consegue se defender. Olha a espada poderosa que tem em suas mãos! É a sua oportunidade de aprender a usá-la.

Jesus falou com uma figueira. Uma planta tem ouvidos? Josué falou com o sol e com a lua. Sol e lua têm ouvidos? Tudo tem ouvidos para a fé. Quando o ciclista americano Lance Armstrong iniciou uma batalha contra um câncer agressivo, que atingiu seus testículos, pulmões e cérebro, os médicos disseram que a probabilidade de ele sobreviver era pequena. Em vez de olhar para aquela situação, chorar e desistir, ele teve uma atitude surpreendente. As duas frases que disse a um amigo mostram claramente em que escolheu acreditar:

"O câncer escolheu o cara errado." E: "Quando o câncer estava andando por aí procurando um corpo para morar, ele cometeu um grande erro ao escolher o meu." Isso é fé, em sua mais pura essência. Já imaginou isso? Dizer para um tumor maligno que parece estar vencendo a batalha: "câncer, você escolheu o corpo errado!" E dizer isso com tanta certeza, com tanta convicção, com tanta revolta a ponto de mudar todas as probabilidades a seu favor? A cura de Lance Armstrong na época foi surpreendente. Mas não para quem conhece o poder da fé.

Será que você tem forças para dizer: "falência, você escolheu a empresa errada!"? Será que você tem forças para dizer: "dívida, você escolheu a pessoa errada!"? Será que você teria forças para falar o que esse homem falou? Se diz crer em Deus, a resposta deveria ser "sim!" Sem dúvida! Porque se a pessoa diz que tem fé em Deus, mas na primeira dificuldade já duvida que vai conseguir, deveria desconfiar que alguma coisa está muito errada com essa fé que ela diz que tem. Porque não faz nenhum sentido crer em Deus e viver na dúvida!

As dificuldades sempre vão existir e cabe a você definir qual será sua reação quando elas vierem. Nem sempre o que a gente determina vem no volume que a gente quer ou na hora em que a gente quer. Eu sou sincero com você, já vi muita gente determinar e crer, mas receber de uma forma mais lenta do que ela esperava. Mas a chance de vencer se está determinando é muito maior do que a chance de uma pessoa negativa vencer.

Por que é tão mais fácil acreditar que as coisas não vão dar certo? Por que seu primeiro impulso é fazer o inventário das dificuldades, enumerando todos os motivos que existem para que seu negócio não prospere ou para que seu casamento termine ou para que você nunca seja promovido? Como eu disse, isso também é um tipo de fé, mas uma fé negativa, que traz frutos negativos. Se você souber usar as palavras, vai colher o fruto do que está falando. Pense bem no que sai da sua boca.

E não pense que, por ter vivido uma vida negativa, você está condenado a ser assim para sempre. Não! Isso é apenas uma questão de hábito e, como já explicamos neste livro, hábitos podem ser mudados. Basta querer e trabalhar diariamente para isso, até que se torne parte de você. Posso estar morrendo, mas digo que vou conseguir. Posso estar no fundo do poço, mas continuo dizendo que vou chegar onde quero. É uma questão de fé. É minha fé. Isso já está dentro de mim. Tive experiências suficientes com essa força e essa forma de pensar. E digo, sem medo de errar, que é por pensar desse jeito que permaneço vivo.

Quando a pessoa está na fé, o espírito dela é forte. Ela fala "câncer, você escolheu o corpo errado". "Vício, você escolheu a casa errada". Ela consegue tirar forças de onde não existem forças. Qualquer um cairia, qualquer um desabaria, qualquer um se entregaria, mas porque a pessoa está na fé, ela tem uma força superior. Isso faz com que ela só abra a boca para falar coisas que a coloquem para cima.

Agora, imagine você dizendo que tem fé e Deus vendo você em desespero. Que tipo de fé é essa? Que sentido tem essa fé? A certeza de que o Deus Todo-Poderoso está com você é menor do que o medo de algo insignificante (porque, convenhamos, se Deus é realmente o Criador Todo-Poderoso, tudo é insignificante diante dEle)? Alguma coisa está muito errada. Se realmente estivesse no mundo da fé, você fecharia os olhos para tudo o que está vendo. Venceria lutas em cima de lutas e jamais abriria a boca para falar uma besteira, porque saberia que vai colher o que plantar. Se plantar palavras positivas, vai colher resultados positivos. Mas se plantar palavras negativas, colherá resultados negativos.

No reino de Deus, a moeda não é dinheiro. No reino de Deus, a moeda é a fé. O dinheiro dá condições de comprar o que já existe, mas a fé traz à existência o que não existe. Por isso, mesmo que esteja endividado, falido, destruído, tenha perdido tudo e não saiba para onde fugir, pode usar esse poder dentro de você para se reerguer e conquistar ainda mais do que tinha antes.

Seus pensamentos determinam o que você irá ser. Eu vejo isso o tempo inteiro nesse meu trabalho. Com esse poder ativado, não existe doença que não possa ser curada ou dívida impossível de pagar. Essa forma de pensar é completamente diferente do que o mundo prega aí fora. As pessoas são criadas para se conformar com aquilo que têm. Elas já esperam o pior. São treinadas a vida toda para colocar a responsabilidade de seus problemas sobre os outros: o patrão, os empregados, o governo, a sorte, sua vida, seu passado e até mesmo Deus.

Todos são culpados e elas, meras vítimas de seu destino. Pensando assim, acreditam que o melhor mesmo é se deixar levar pela correnteza e esperar que alguém as ajude ou que a solução de seus problemas caia do céu. Mas uma das coisas que a fé nos desperta a fazer é lutar. Lutar, com todas as nossas forças, porque aquele que está convicto não desiste.

Na verdade, não importa a situação em que você esteja, a fé é a única coisa que você tem a seu favor. Pode não ter amigos, pode estar na pior situação da sua vida, com nome sujo, cartão bloqueado, sem credibilidade nenhuma na praça, mas não pode dizer que não tem fé. Quando a pessoa tem fé, ela pode não conseguir de primeira, pode não conseguir de segunda, pode não conseguir de terceira, de quinta, de décima, mas tem tanta certeza que não interrompe a caminhada e acaba conseguindo o que quer. Não tem problema que faça essa certeza diminuir. Mas, quem não tem certeza, desiste, desanima e olha para trás.

A única pessoa que pode barrar esse poder é você mesmo. Se a fé é certeza, seu maior inimigo é a dúvida, a indecisão. E, se der ouvidos à dúvida, pode neutralizar o poder da sua fé. Por isso, todo cuidado é pouco. Como Jesus mesmo disse, você pode fazer um pedido grandioso para Deus, mas, se tiver um mínimo de dúvida, não recebe. A sua crença tem de ser total, 100%. É isso que nos faz alcançar o que pedimos. Se a sua fé está atrofiada, você olha para os problemas e se enfraquece, porque duvida. Mas, quando vive por essa certeza, não interessa o que não aconteceu ainda, você mantém sua convicção no nível máximo, crê 100%.

20° tom: Aproveite as oportunidades

O problema com as oportunidades é que nem todas as pessoas sabem identificá-las. Você pode criar uma ao se dedicar a ajudar os outros ou ao perder o medo de se expor. Se ninguém conhece o seu trabalho, como espera ser chamado para alguma coisa? Se ninguém conhece sua empresa, como espera fechar grandes contratos?

Nossa sociedade coloca na cabeça das pessoas que oportunidade é algo que só acontece uma vez na vida e que depende de sorte, de acaso. Isso é uma mentira. Oportunidades não são resultado de sorte, mas de trabalho e visão. Quem não tem visão, pode não identificar uma oportunidade quando passa por ela e — pior — pode até mesmo reclamar da situação!

Geralmente, as oportunidades vêm disfarçadas de problemas. É um chefe que lhe dá mais trabalho para fazer, é uma reunião fora de hora, um convite inesperado, algo que aparentemente vai tomar seu tempo... É uma situação fora do padrão, fora da sua zona de conforto e, por isso, incômoda. Mas, se você tiver o impulso de fazer sempre o seu melhor, de ser a pessoa com quem os outros podem contar, provavelmente vai aproveitar a oportunidade sem nem sequer perceber.

Todas as vezes que eu tive oportunidade, por menor que fosse, eu aproveitei. Porque se eu vacilasse, vinha outro e tomava meu lugar. Se, em vez de fazer o que tem de ser feito, você só sabe reclamar, se fazer de vítima ou esperar pelos outros, vacila e acaba perdendo a chance de se destacar.

A boa notícia a respeito de oportunidades é que, não importa quantas você perdeu na vida, sempre pode criar novas. Não tenha medo de arriscar, de se expor, colocando em prática a sua fé. Você passa a ser um gerador de oportunidades quando se torna a pessoa que faz aquilo que ninguém mais quer fazer. Lembra de Davi? Ninguém queria ir lutar contra o gigante. E, por Davi se dispor a lutar, se destacou. Ele estava no lugar certo e na hora certa, como todos os outros guerreiros. O que o diferenciou foi a decisão que tomou. Fazer a escolha certa é ainda mais importante do que estar no lugar certo e na hora certa. A decisão acertada faz a hora e o lugar. E isso está ao seu alcance.

Algumas ideias para começar a criar oportunidades (ou identificá-las):

Fale — Aprenda a expor seus pensamentos de forma construtiva. Se acha que não está sendo ouvido ou que está sendo silenciado, provavelmente não tem comunicado da forma mais adequada a quem precisa ouvi-lo. Mude a estratégia. Não reporte problemas, pense em soluções. Faça perguntas. Antes de decidir lutar contra o gigante, Davi fez perguntas, para se inteirar da situação.

Ouça — Antes mesmo de aprender a falar, aprender a ouvir é essencial. Ouvir é ainda mais importante do que falar. Tente entender o ponto de vista do outro, isso pode até mesmo mudar suas perguntas. Não fique pensando no que vai responder enquanto a pessoa estiver falando. Simplesmente ouça atentamente e entenda o que está sendo dito. É com esse material que você irá trabalhar depois, para se inteirar do que está acontecendo e encontrar soluções, saídas e ideias. São raros os que sabem ouvir.

Não estacione — Ainda que esteja confortável em sua situação, se realmente quer estar aberto a novas oportunidades, não pare de avançar. Leia, se informe, faça cursos, conheça pessoas, aprenda algo novo, se desafie. Encontre prazer no desafio, na superação. Quando uma chance imperdível aparecer, você aproveitará, simplesmente por ser um dos únicos que saíram da inércia.

Reconheça seus erros e trabalhe para acertar — Aprenda uma coisa: você só pode mudar a si mesmo. Por mais que veja erros nos outros, na empresa ou nas situações ao seu redor, a única mudança que está ao alcance das suas mãos é a sua. Então, para que perder tempo se focando nos erros dos outros? Em todas as situações adversas da sua vida, tente entender em que está errando e como pode fazer para começar a acertar.

Problemas com sua esposa, com seu marido ou com os filhos? Resista à tentação de apontar os erros dos outros e comece a procurar seus erros e encontrar formas de resolvê-los. Busque ajuda, se tiver dificuldade de identificar o problema. Se o outro precisa mudar, mude primeiro e seja o exemplo.

Não reclame — Já escrevemos um capítulo inteiro sobre isso, mas é sempre bom lembrar. A reclamação é um dos maiores repelentes de oportunidades. Toda vez que você reclama, está afastando uma oportunidade, porque, como já vimos, elas geralmente vêm disfarçadas de problemas. A melhor maneira de identificá-las, lapidá-las e aproveitá-las é encarando o problema — para resolvê-lo, e não para reclamar dele.

Olhe o lado positivo das pessoas — Todo mundo tem um. Mesmo o maior facínora, aquele que você gostaria que desaparecesse da face da terra. Isso não significa que você deva negociar com pessoas de péssimo caráter, apenas significa que não vai ficar pensando mal delas. Aprenda a separar as pessoas de suas atitudes. Uma atitude aparentemente ruim não significa uma pessoa ruim. Alguém pode estar em um mau dia e dizer algo de forma ríspida. Pensar mal dessa pessoa não fará com que ela melhore ou entenda o que fez. Apenas tornará você mais amargo.

Todos têm defeitos, todos passam por um dia esquisito, muitas pessoas têm uma dor dentro do peito, que escondem com agressividade. Quem somos nós para apontar o dedo e dizer que fulano é isso ou aquilo? Só Deus conhece o coração e as intenções, e diz que seremos julgados com a mesma medida que usarmos para julgar. Porque Ele também conhece nosso coração e nossas intenções. O objetivo aqui é não somente evitar julgamentos precipitados (e injustos) a respeito de alguém que poderia ser um bom contato, mas também diminuir a quantidade de elementos negativos na sua vida.

Olhe o lado positivo das situações — Toda situação tem um. Se entender que cada adversidade esconde uma oportunidade (nunca vou deixar de repetir isso), vai encarar as coisas de uma maneira muito mais construtiva. Olhar o lado negativo nos paralisa. Olhar o lado positivo nos impulsiona, nos desafia. Tanto no caso das pessoas quanto das situações, você conhece o lado negativo com muita facilidade. Geralmente, ele é o mais superficial, é possível identificá-lo (ou criá-lo) só olhando. Já o lado positivo, exige uma certa investigação. Você aprende a pensar com mais profundidade ao analisar uma situação ou pessoa em busca do lado bom. E começa a descobrir as oportunidades escondidas, como diamantes.

Seja curioso — Curioso, e não fofoqueiro. Desenvolva seu lado investigativo, descubra como as coisas funcionam.

Mantenha o seu caráter — Também já falamos sobre isso, mas nunca é demais repetir. O seu caráter é seu maior capital. Examine suas intenções, pensamentos, hábitos e atitudes. Seja uma pessoa de palavra, não minta, honre seus compromissos, seja disciplinado. Uma boa técnica para treinar um excelente caráter é imaginar que está sendo observado 24 horas e policiar suas atitudes e palavras. Não demorará muito para que seus pensamentos mudem e você se torne quem quer ser.

Além disso, coloque em prática todos os outros capítulos deste livro. Você se tornará uma fonte interminável de oportunidades. O mais engraçado é que, depois de todo esse esforço, vai ouvir que "é sortudo", "nasceu virado para a lua" ou mesmo terá de enfrentar comentários maldosos dizendo que você só chegou onde chegou porque é amigo do chefe/porque tem dinheiro/porque teve os contatos certos/porque tem as costas quentes. Porém, o que as pessoas não percebem é que essas coisas são consequência e não causa do seu sucesso. Quando age de modo diferente dos demais, naturalmente passa a atrair a atenção e conquistar a confiança de pessoas de sucesso. Estão aí os contatos que você tanto queria fazer.

Entenda uma coisa: ninguém se torna nada que já não seja. Não entendeu? Se você quer ser gerente, passe a olhar para a empresa como se já fosse o gerente. Analise a equipe com olhos de gerente. Vista-se como gerente. Pense no que faria e em quais dificuldades poderia enfrentar. Comece a dar sugestões e assumir responsabilidades. Quando o seu chefe for pensar em alguém para promover a gerente, em quem você acha que ele irá pensar?

Se quer ter sua própria empresa, pode começar olhando para o local em que você trabalha como se fosse o dono. Olhe para a sua sala como se fosse o proprietário da empresa. Você permitiria aquele lixo em cima da mesa? Se fosse seu chefe, permitiria que esse funcionário (você) passasse tanto tempo no Facebook? Então, limpe sua mesa, feche o Facebook, faça o seu trabalho, tenha responsabilidade e pense grande. Não vai demorar muito para encontrar uma boa maneira de abrir seu próprio negócio.

Sabe por que muitas empresas fecham no primeiro ano? Porque as pessoas se tornam empresárias, mas mantêm a cabeça de funcionário. Qualquer probleminha, já reclamam. Não planejam, não sabem resolver problemas, porque sempre tiveram o chefe, o gerente, o supervisor para fazer por elas. Sempre tinham alguém a quem culpar. Viviam resmungando pelos cantos e pensando no intervalo e no fim de semana. No trabalho, só sabiam encontrar defeitos e reclamar. Quando assumem seu próprio negócio, pensam: "pronto, agora posso fazer o que quiser", mas esquecem de que também enfrentarão problemas e terão de lidar com outros empresários durões e funcionários reclamões e exigentes para quem nada nunca está bom. E, no primeiro desafio violento, essas pessoas desistem. Jogam a toalha.

Mas o líder de sucesso é forte, perseverante. Sabe que cada novo problema é uma nova oportunidade. E vai construindo sua vida em cima dessas oportunidades.

21° tom: Tenha visão

É claro que todo mundo quer uma vida melhor. Todo mundo quer ganhar bem, todo mundo quer dar o melhor para seus filhos, todo mundo quer uma vida tranquila. Porém, poucos são os que têm a coragem necessária para arriscar ou pensar grande. Aliás, alguns até pensam grande, mas encaram esses pensamentos como sonhos, como ilusões inalcançáveis. Ser rico, na cabeça dessas pessoas, é um sonho distante, algo a que elas não têm direito. Ter o próprio negócio é um sonho impossível. Ser feliz no casamento parece ideia do passado. Tudo o que realmente querem soa como se não lhes fosse permitido.

A pessoa só se torna bem-sucedida quando deixa de enxergar esses grandes projetos como sonhos inalcançáveis e passa a enxergá-los como metas que podem ser alcançadas. Ela sabe que pode ser o que quiser, então, por que vai se contentar com menos do que o melhor? Se ela tem visão, luta para que a coisa fique do jeito que ela quer. Enquanto não está do jeito que ela quer, não desiste. É assim que um sonho se torna realidade.

Muitos têm medo de fazer algum movimento brusco nos negócios e perder tudo o que conquistaram. Por isso, costumam andar em caminhos já conhecidos, onde possam ter a sensação de segurança e a ilusão de controle. Por um lado, isso parece bastante sensato, mas, por outro, pode limitar o seu desenvolvimento.

Você já deve ter ouvido falar da importância de pensar grande, de visualizar seus objetivos e de "ver" seu futuro em sua mente. Não é disso que estamos falando. Claro, é importante pensar grande. Não manter em sua mente apenas seus objetivos, mas imaginar claramente os passos para alcançá-los. Você quer ter a maior fábrica de chocolates do mundo, mas não adianta apenas pensar na sua grande fábrica e não pensar que você precisa, primeiro, começar a fazer chocolates e vendê-los, com o objetivo de conquistar clientes e, em breve, abrir sua primeira loja. Se imaginar fazendo os chocolates mais gostosos que seu cliente já provou talvez seja mais importante agora do que pensar na rede internacional de lojas que você quer ter no futuro.

Porém, se você estiver apenas focado naquilo que pode fazer com suas próprias mãos, não terá base suficiente para desenvolver todo o seu potencial. Se você se sente pequeno e, por isso, não consegue viabilizar seus sonhos, a melhor coisa a fazer é parar de baseá-los no tamanho das suas condições atuais. Lembra do que dissemos a respeito da fé? Dissemos que ter fé em si mesmo ajuda, mas ter fé em Deus ajuda muito mais. Por quê? Porque se falamos em um Deus ilimitado, falamos em um Deus tão grande que não se pode medir.

Se basear seus sonhos em algo muito maior do que você, a chance de conseguir vê-los se tornarem realidade é igualmente grande. Não há mais os limites autoimpostos quando você começa a ter visão da grandeza de Deus. Só aí sua vida vai dar uma guinada. Isso muda as nossas atitudes porque já não nos baseamos em nossa força ou em nossa capacidade. Quanto mais conhecemos de Deus e percebemos que Ele não tem limites, menos limitada se torna nossa visão de mundo e a percepção do quanto podemos avançar.

E também temos outra atitude diante dos problemas. Uma pessoa que tem visão da grandeza de Deus não desanima, não vive preocupada, não entra em desespero. Quando surge alguma situação contrária, ela se lembra do tamanho do seu Deus e a confiança nEle traz a paz e a certeza de que tudo vai se resolver. Tranquila, ela consegue enxergar o problema com a cabeça fria e tomar decisões acertadas.

A visão da grandeza de Deus traz força para avançar, traz confiança para se manter de pé no meio da tempestade e traz a certeza necessária para seguir adiante e dar passos ousados, quando necessário. Isso não tem a ver com ir à igreja ou ter uma vida religiosa. Você pode jejuar até secar e não prosperar. Você pode orar 24 horas por dia e não sair do lugar. As igrejas evangélicas estão cheias de pessoas orando e jejuando, mas sem nenhum desenvolvimento econômico, porque essas pessoas têm conhecimento religioso, mas não têm a visão da grandeza de Deus. São suas atitudes que mostram se você realmente sabe Quem é o Deus a quem diz seguir.

22º tom: Proteja sua visão

Existem dois inimigos da visão. O primeiro são seus olhos. Sim, porque a visão de que falamos no capítulo anterior não tem nada a ver com o que você é capaz de enxergar com os olhos físicos. Se ficar olhando para a sua situação e confiando naquilo que seus olhos veem, é natural desanimar, entrar em depressão, se abater, entrar em desespero, ficar sem dormir, sem comer. Seus olhos fazem você ver o presente; sua visão faz você ver o futuro. Seus olhos são inimigos da sua visão.

Nossa vida é cheia de lutas. Você pode ter sucesso, mas, com certeza, algum desafio surge para exigir uma reação sua. E é bom que seja assim, porque o ser humano só cresce enfrentando desafios. É por meio dos desafios que descobrimos novas saídas e desenvolvemos novas estratégias, talentos e habilidades. Então, é normal que enfrentemos guerras. Por isso, nosso foco tem de estar firme no objetivo que definimos, não importa como as coisas estão ao nosso redor.

Você pode estar vendo a situação mais cruel, pode estar vendo seus filhos passando necessidade, suas contas atrasadas, mas se você tem visão do que você quer, há perspectiva de futuro. Você sabe que, a partir de agora, sua vida será diferente. Ainda que continue vendo o que estava vendo antes, se sua forma de encarar seu futuro muda, toda a sua vida muda.

"Não atentando nós nas coisas que se veem, mas nas que não se veem; porque as que se veem são temporais, e as que não se veem são eternas." (2 Coríntios 4.18)

As coisas que vemos são temporais, estão sujeitas ao tempo. Elas vão passar. Não importa qual situação difícil você está enfrentando agora, ela vai passar. Não atente para ela, porque não vai durar muito tempo. Mantenha sua atenção naquilo que você não vê, mas que é eterno. Mantenha o foco em sua meta. Olhe para as coisas sob a perspectiva certa.

Se você é a pessoa que atenta para os olhos, quando tudo está indo bem, se enche de força. Quando tudo está indo mal, desanima. Assim, você se torna facilmente manipulável. É só alterar o papel de parede e você reage, imediatamente, da forma mais previsível possível. Não seja previsível. Nade contra a correnteza. A maioria das pessoas é guiada por seus sentidos naturais. Se for igual a maioria, vai alcançar o resultado da maioria. Não é isso o que você quer. Então, amplie sua visão e entenda que seus sentidos têm a função deles, mas não é a de guiar sua vida.

Muitos enxergam os problemas como barreiras, mas, na verdade, você deveria procurar os problemas. Parece estranho? Mas, pense bem, onde existe um problema é porque ninguém conseguiu enxergar ainda uma solução. Se você encontrar uma solução, você criou uma oportunidade.

Todas as coisas que existem feitas pelo homem foram inventadas para resolver um problema. Desde o início da humanidade. As unhas do homem nunca foram fortes o suficiente para caçar um animal ou se defender. Isso era um problema. Então, alguém se revoltou contra aquela situação e resolveu olhar para o problema de outra forma, buscando uma alternativa que trouxesse solução. Essa revolta acabou gerando uma ideia para resolver esse problema. Criou a lança. E, depois, a faca. Muitas armas foram criadas em todas as gerações para resolver esse problema. Um problema se desdobrou em milhões de oportunidades.

As histórias se perdiam ou se modificavam sempre que contadas. O conhecimento estava ficando limitado. A humanidade tinha um problema. Então, alguém se revoltou contra essa situação e resolveu buscar uma alternativa para resolver. Percebeu que, para que o conhecimento sempre se ampliasse, era necessário registrá-lo. Assim, as gerações futuras teriam uma noção clara do que já tinha sido dito ou feito no passado. Com isso, o ser humano criou a escrita. Se a humanidade não tivesse tido esse problema no passado, você não estaria lendo esse livro.

Dentro de cada problema existe um tesouro que só pode ser acessado com a chave da revolta. Enquanto você estiver acomodado ao problema, ele só vai gerar em você tristeza, desânimo, espanto e medo. O desânimo vem para quem se acomodou. Se você não se acomodou e o desânimo ameaçar vir, se revolte contra ele e continue adiante, com o foco na sua visão, não importa o quanto as condições pareçam ruins.

Não se espante com nada. Nossos problemas têm que nos trazer revolta e não desânimo. É a revolta que nos impulsiona. Não atente para o que você está vendo, mas para o que vai alcançar.

O segundo inimigo da visão é o DI. Duas letrinhas que mudam tudo quando estão antes da visão e criam a DI-visão. Em um lugar, só pode ter uma visão, não pode ter duas. Se você tem uma visão e seu sócio tem outra, inevitavelmente vai dar problema. Se você quer crescer e seu sócio está acomodado, ou se você quer ajudar outras pessoas e seu sócio é egoísta, ou se você quer dar tudo de si e seu funcionário é preguiçoso, vai haver divisão. E um negócio dividido não prospera.

Se tem divisão, tem derrota. Um negócio dividido enfraquece. Em um casamento, se os dois não têm os mesmos objetivos, vai haver divisão. O "DI" entra no casamento quando não há companheirismo e cada um quer viver sua própria vida. Quando o "DI" entra no casamento, ele causa o **Di**vórcio.

Qualquer objeto dividido, enfraquece. Assim é também com as pessoas e os relacionamentos. Se você dividir uma cadeira, ela vai se tornar inútil. Se cortar um carro para dividi-lo, ele não vai mais andar. Nada funciona direito quando há divisão.

Tudo o que se divide, diminui. Você enfraquece seu negócio se há divisão. Se o "DI" entra na frente da sua visão, você não enxerga mais nada. Ele é inimigo do seu objetivo. O que faz com que você alcance um objetivo é unir, manter o foco e multiplicar.

Não permita que o DI entre em seu caminho. Proteja a sua visão se quiser vê-la se cumprir.

23° tom: Sentimentos não são bons guias

Uma das maiores dificuldades que as pessoas enfrentam quando começam a aprender o conceito de inteligência espiritual é deixar de se orientar pelo que veem, ouvem ou sentem. Circunstâncias farão você duvidar do que está fazendo. Você talvez não sinta vontade de agir da forma correta. Talvez sinta medo, desânimo, tristeza, desespero, ansiedade...talvez duvide que aquela decisão é a certa ou que aquela escolha é a mais adequada.

O que você precisa entender é que, apesar de a fé parecer uma coisa maluca capaz de mover montanhas, ela é totalmente racional. Dentro da lógica do mundo materialista, ela pode não fazer sentido (dentro dessa lógica, Maya Angelou não teria chance alguma na vida e Lance Armstrong estaria morto), mas dentro de sua própria realidade, ela segue um padrão lógico muito claro.

Por exemplo: se há uma promessa feita por Deus, e sabendo que Deus não mente, é lógico afirmar que é impossível aquela promessa não se cumprir. Se há uma condição para que aquela promessa se cumpra, como: "**se quiserdes e Me ouvirdes**, comereis o melhor desta terra", você raciocina: "se eu cumprir esta condição, isto é, se eu quiser e ouvir a Deus, logo, a promessa se cumprirá e eu comerei o melhor desta terra". Então, você procura cumprir essa condição.

Obviamente, você quer; então, essa primeira parte é bem fácil de cumprir. Depois, busca descobrir como dar ouvidos a Deus, o que Ele espera que você faça, etc. Assim, quando termina de cumprir as condições da promessa, já espera o cumprimento, com convicção, pois sabe que é impossível que ela não se cumpra. Note que todo esse processo é consciente, envolve sua mente e seu raciocínio lógico. Nessa convicção, não há espaço para o medo, dúvida ou qualquer outro sentimento.

Qualquer certeza que você tiver, se for misturada com emoções, não vai funcionar. Pense novamente no exemplo do ciclista americano. Quando decretou que o câncer escolheu o corpo errado, ele ainda estava doente. Ainda sentia as dores que um tumor nos testículos certamente lhe causava. Ainda sentia a falta de ar característica de uma metástase nos pulmões. Ainda sentia todos os efeitos do câncer no cérebro. Ainda estava sem cabelos por conta da quimioterapia. Ainda se sentia cansado, enjoado, com dores pelo corpo por causa do tratamento.

O que ele *sentia* confrontava diretamente aquilo em que ele *cria*. E não apenas o que sentia, mas o que ouvia. Os médicos lhe diziam que ele tinha poucas chances de sobreviver. Certamente também via olhares de pena. Certamente sentia os efeitos de toda aquela situação querendo passar sobre ele como um rolo compressor.

Mas o que o manteve firme? Se ele tivesse cedido ao que estava sentindo, teria conseguido se recuperar? Se tivesse acreditado nas palavras de morte, teria sobrevivido? Se tivesse se deixado levar pelos olhares de pena e sentido dó de si mesmo, estaria aqui para contar a história? Absolutamente não! O que o manteve firme foi colocar sua certeza acima de tudo o que via, sentia e ouvia. E seguir em frente.

Temos duas forças distintas dentro de nós que, em equilíbrio, nos permitem ter boa saúde mental, mas, desequilibradas, podem destruir nossa vida. A primeira delas é a inteligência. Ela é nosso espírito, a capacidade que temos de raciocinar e tomar atitudes conscientes. A segunda, é nosso centro gerador de emoções, chamado por alguns de "coração" e por outros de "alma". Na verdade, é o centro de nossas vontades e sentimentos, ativado pelos cinco sentidos de nosso corpo. Essas duas forças estão em constante guerra para definir quem está no controle.

De modo geral, quando a pessoa não tem treinamento mental nenhum, ela se deixa levar por seus instintos e suas emoções. Assim, sua vida é como aquele barco lançado no mar, sem motor e sem remos. Instáveis como ondas, seus sentimentos atiram a pobre criatura para lá e para cá. Viver assim a vida inteira deve, no mínimo, causar muito enjoo.

A boa notícia é que é possível treinar nossa mente para tomar a dianteira na hora de fazer escolhas e resolver problemas. Assim, as emoções permanecem controladas e conseguimos nos manter estáveis o suficiente para construir alguma coisa na vida e, finalmente, alcançar o sucesso.

Sem esse controle, é praticamente impossível conseguir manter o sucesso total. Você pode até ser bem-sucedido em uma coisa, mas será um fracasso em outra. E poderá correr o risco de perder o que conquistou. Por isso, é absolutamente necessário se conscientizar de que você pode — e deve — lutar contra a tendência de seguir seus sentidos e emoções. E aprender a agir de forma mais consciente e intencional.

No livro *Casamento Blindado*, Renato Cardoso coloca isso de uma forma bem direta. Ele diz: *"Grave esta frase em sua mente:* ***Emoção não é ferramenta para resolver problemas.*** *Verifique: todas as vezes que você tomou uma decisão baseada em uma emoção, você se deu mal"*. Perceba que, se isso é verdade em um ensinamento sobre vida amorosa, certamente é verdade em qualquer outra área da vida.

E emoção não é ferramenta para resolver nada na vida porque o coração é enganoso. Em um mesmo dia, o seu coração pode sentir alegria, tristeza, raiva, compaixão, empolgação, pena, ódio...você pode ter vontade de matar alguém, vontade de se matar, vontade de fugir, vontade de lutar, vontade de viver, vontade de ajudar alguém...viva de acordo com suas vontades e seus sentimentos e você estará em uma eterna montanha-russa que só lhe trará insatisfação. Aprenda a controlar seus sentimentos colocando sua certeza acima de todas as suas sensações, emoções e vontades.

Eu sei que muitas pessoas se deixam levar pelas dificuldades que enfrentam. Mas é nesse momento que você tem que ter uma postura firme, ser forte e não deixar essa situação derrubá-lo ou destruí-lo. Seja forte, por pior que seja a sua situação. O fato de não ter começado o ano bem, por exemplo, não quer dizer absolutamente nada. Já viu aquele dia que começa nublado? Não quer dizer que vai ser ruim. Você começou o ano muito mal, mas pode terminar muito bem. O que você escolhe esperar?

Quando sua certeza está sendo alimentada pela disposição certa de espírito e pensamentos, qualquer situação muda; você encara seus problemas, seus monstros, seus fantasmas. Não importa se ouviu uma má notícia, se sentiu alguma coisa, se viu alguma situação contrária. Se você se mantiver na certeza, chega onde quer. Você termina suas lutas com vitórias extraordinárias.

24° tom: O sucesso é dos entusiasmados

A palavra entusiasmo significa "Deus dentro de si". A pessoa que é entusiasmada tem Deus dentro dela. Logo, a pessoa que não é entusiasmada não tem Deus dentro de si. Quem não é entusiasmado é desanimado. E a palavra "desanimado" significa "sem espírito" ou "sem vida". Diante disso, não ter entusiasmo ou ser desanimado não é uma opção válida para quem quer ter sucesso, não é mesmo?

Viver nos dias de hoje é um desafio, as coisas nunca mudaram tão rápido quanto nesses últimos tempos. Quem não for entusiasmado, terá muita dificuldade em superar os desafios e ter um resultado positivo. Quando a pessoa é entusiasmada, consegue superar qualquer obstáculo, pois é forte. Ninguém a derruba, ninguém a atrapalha.

Mas o que é ter entusiasmo? Seria apenas ser otimista? Não. Entusiasmo não é otimismo. "Otimismo" é torcer para que algo dê certo. Já "entusiasmo" é acreditar que tem capacidade de mudar qualquer coisa, de vencer qualquer obstáculo.

Muitos se deixam influenciar pelo lugar em que estão. Se estão em um ambiente negativo, são facilmente contaminados. Algumas pessoas chegam até a se sentir fisicamente mal. A energia do lugar entra na vida delas e destrói. Porém, quando a pessoa é entusiasmada, ela é que faz o ambiente. Ela não está nem aí para a energia do lugar, porque tem uma energia muito mais forte dentro de si, que é o próprio Deus. Pode trabalhar em um ambiente entusiasmado ou em um ambiente pesado; vai continuar entusiasmada. É capaz até de contagiar os outros com seu entusiasmo e mudar aquele lugar. Ela ilumina.

O patrão que tem um funcionário entusiasmado sabe que dali vão sair coisas boas. Ele fica tranquilo. O funcionário que tem um patrão entusiasmado fica feliz e se sente seguro. Quem tem um colega de trabalho entusiasmado, trabalha melhor. Quem tem um parceiro entusiasmado em casa, acaba se contagiando com a energia. Tudo se ilumina, tudo flui. Só há vantagens em se esforçar para desenvolver esse entusiasmo.

A pessoa entusiasmada usa a imaginação e a repetição para desenvolver sua força. Nossa mente tem que pensar em tudo o que é bom. Se a sua imaginação não for usada para coisas boas, será usada para coisas ruins, pois não existe meio termo. Se for usada para coisas ruins, você se torna uma pessoa negativa, pensando "meu Deus, o cheque vai voltar!", "o oficial de justiça vai vir", "está chegando o dia 20", "o agiota vai me procurar", "esse negócio não vai dar certo", "o faturamento vai cair este mês" ...você estará usando a sua imaginação, também, mas só para o que não presta. Isso apenas gera ansiedade.

Agora, se é uma pessoa entusiasmada, usa sua imaginação para coisas boas. Consegue se imaginar vencendo, se imagina comprando aquilo que deseja, vendendo, conquistando. Imagina o que é bom porque sua mente está ocupada com coisas positivas, coisas boas. Isso o leva a repetir palavras boas. Lembra que a fé é a "certeza de coisas que se esperam"? O entusiasmado espera coisas boas, usa a fé a seu favor. Já o desanimado só espera o pior, usa a fé para dar um tiro no pé.

Acontece um problema e ele já fala: "pobre é azarado, mesmo!"; "Mas eu sou burro mesmo!"; "Olha, tudo de ruim acontece comigo"; "Minha vida não tem jeito". E não tem jeito mesmo, porque só repete o que não presta. Mas quando a pessoa tem vida, tem Deus dentro de si, ela só repete vitória: "Vai dar tudo certo!"; "Vou arrebentar!"; "Deus está comigo!"; "Vou chegar lá"; "Vai dar certo". Ela sempre repete coisas positivas e tem alergia a coisas negativas.

Eu não suporto nem aquelas conversas negativas de elevador. Se alguém chega para dizer: "Que chuva, hein?" É capaz de me ouvir responder: "Tá chovendo, mas vai dar tudo certo!". É o hábito. A atitude que você mais costuma tomar, mesmo em coisas pequenas, é a que vai se tornar um padrão na sua vida. Seja desanimado nas coisas pequenas e você será desanimado nas grandes. Seja entusiasmado nas coisas pequenas e seu entusiasmo surgirá em todos os momentos mais importantes. Se estou entusiasmado, tenho Deus dentro de mim. Nada me põe para baixo. Para que vou querer ser diferente?

Se tem filhos, incentive o hábito do entusiasmo desde cedo. Eduque seu filho em um ambiente de entusiasmo. Alguns pais não se dão conta do quanto isso é importante. Tem pai e mãe que, quando o filho tira 5, faz um estardalhaço, mas quando a criança tira 10, diz: *"você não fez mais que a obrigação!"*. Essa não é a melhor maneira de motivar alguém. Na verdade, é uma forma de desmotivar. Ninguém aguenta isso por muito tempo. Todo mundo quer vibrar, todo mundo quer comemorar.

Eu vivo entusiasmado, ensino as pessoas a vibrarem por aquilo que elas conquistam. Seu filho tirou dez? Você tem que dizer: "arrebentou, meu filho!"; "Vamos sair, vamos comemorar!", "estou muito feliz com você!". Isso vai dar entusiasmo para que, da próxima vez, ele tenha prazer em estudar.

Se você é empresário, gere entusiasmo em sua empresa. Crie incentivos aos seus funcionários para que eles se sintam reconhecidos quando se destacarem. Se você é um líder, gere entusiasmo em sua equipe. Procure desenvolver isso dentro de você, para conseguir passar aos outros.

Entusiasmo não combina com água parada. Continue buscando coisas novas, novas maneiras de enxergar o mundo. O entusiasmo precisa ser nutrido por novas atitudes, por novas aspirações, por novos esforços e por uma nova visão. Alimente seu entusiasmo e ele crescerá.

Se temos Deus dentro de nós, todo mundo percebe. Em seu sorriso, sua alegria, sua força e em suas palavras, que contagiam, ligue o interruptor do entusiasmo para mostrar a luz que tem em seu interior.

25° tom: Não se faça de vítima

Você reclama do seu emprego todos os dias? Acha que é vítima do governo, do patrão espertalhão, do colega que rouba seus créditos? Se você se acha vítima de alguma coisa, pare por aí. Enquanto estiver nessa posição passiva, não vai sair do lugar. Você só é vítima de si mesmo. Da sua inoperância por não levantar e retomar o controle da sua vida.

Não culpe seu patrão, seu pai, sua mãe, seu professor, o governo ou a falta de oportunidade. Provavelmente sua vida não está do jeito que gostaria porque você tem medo de definir metas e persegui-las. Perseguir metas muitas vezes exige sacrifício. Terá de renunciar muitas coisas e não será fácil. Terá de assumir a responsabilidade tanto do seu sucesso quanto do seu fracasso.

Está pronto para isso? Não espere sentir que está pronto. Você está pronto quando decide estar. Abra mão desse lugar confortável de onde aponta o dedo para os outros e distribui as culpas. É muito fácil se sentar na posição de vítima do mundo, mas é desonesto. Deus deu a todos a capacidade de pensar e se superar, mas nem todos fazem o devido sacrifício, com a perseverança necessária para conquistar o que querem. E, você já deve ter percebido, pelo que já falamos neste livro, é tudo uma questão de escolha.

Você tem se treinado a ter pena de si mesmo. Talvez nem perceba isso e até se ache batalhador e corajoso, mas se prestar atenção a seus pensamentos, sentimentos e palavras, perceberá a tendência à autovitimização. Se reclama, só olha os problemas, vive se sentindo injustiçado e acha que todo mundo tem uma vida melhor que a sua ou que seus problemas são piores que os dos outros, provavelmente tem vivido em um ciclo de vitimização.

Esse ciclo funciona mais ou menos assim: Você sofre alguma injustiça ou passa por uma situação adversa, que interpreta como injusta > Aquela situação faz com que se sinta atingido > Você toma consciência de que é a parte mais fraca, e se sente fraco > Enfraquecido, começa a reclamar da situação ou das pessoas > Ao reclamar, se torna negativo, afasta os outros e entra em um estado de confusão mental, causado por suas emoções > Nesse estado, perde a capacidade de fazer escolhas corretas > Faz más escolhas, que predispõem a uma nova injustiça ou situação adversa > Inevitavelmente, sofre alguma injustiça ou passa por uma situação adversa > E o ciclo continua, infinitamente.

Admitir que tem tido pena de si mesmo é o primeiro passo para mudar sua situação. Todos nós, em um momento ou outro, já fizemos isso. É natural do ser humano se vitimizar, seja por não querer admitir um erro, por não querer assumir as consequências de seus atos, por medo de agir ou por qualquer motivo igualmente ruim.

É necessário ter uma boa dose de humildade para sair da posição de vítima. Ainda que realmente esteja sendo perseguido, a sua forma de encarar essa situação faz toda a diferença. Ficar se lamentando e sentir como se estivesse em uma novela mexicana apenas irá prolongar a situação. Não se escandalize por ser injustiçado, como se isso não acontecesse com mais ninguém. Confie em Deus e siga fazendo o que deve ser feito. Mantenha o foco em suas metas e no que fazer para alcançá-las.

Se confia em Deus, deixe que as promessas dEle deem conta do resto. Que promessas? Esta, por exemplo: *"Confia no SENHOR e faze o bem; habita na terra e alimenta-te da verdade. Agrada-te do SENHOR, e Ele satisfará os desejos do teu coração. Entrega o teu caminho ao SENHOR, confia nEle, e o mais Ele fará. Fará sobressair a tua justiça como a luz e o teu direito, como o sol ao meio-dia."* (Salmos 37.3-6)

Note que há uma lista de atitudes que você deve tomar para que Deus faça a parte dEle. Confiar em Deus, fazer o bem, habitar na terra, alimentar-se da verdade, agradar-se de Deus, entregar o seu caminho a Ele. A promessa é de que, **se você fizer essas coisas**, o próprio Deus satisfará os desejos do seu coração, fará sobressair a sua justiça como a luz e o seu direito, como o sol ao meio-dia. Dá para esconder o sol do meio-dia? Impossível! Todo mundo vê o sol ao meio-dia. Ele fica bem no alto, no meio do céu. E se você tem se sentido injustiçado pelos outros e pela vida, não deveria se interessar pelo cumprimento dessa promessa? Ela está em suas mãos.

Pare de se lamentar, de se vitimizar, de achar que seu problema está nos outros. Faça as coisas certas, se alimente da verdade — e não dos seus sentimentos ou dos pensamentos negativos. Busque agradar a Deus, não aos outros.

A pessoa de sucesso assume a responsabilidade por seus erros e acertos, por seu sucesso e pelo fracasso. Porque ela sabe que, no fundo, a responsabilidade final é mesmo dela. Ainda que você não possa controlar a situação, pode controlar a sua reação. E é justamente a sua reação que determina o resultado. Se escolher aceitar a posição de vítima, jamais será um vencedor. E se sua condição é realmente muito terrível, muito difícil, mesmo assim, pare de se fazer de vítima. É a única forma de sair dessa situação.

26° tom: Evite más companhias

Se quer ser uma pessoa entusiasmada, se afaste de pessoas negativas. Elas andam com uma nuvem negra contagiosa ao redor da cabeça. Pensam em coisas negativas e, por isso, são interiormente derrotadas. O problema da pessoa negativa é que é muito mais fácil o desanimado contaminar o entusiasmado do que o contrário. O negativo é como um vácuo, vai sugando tudo o que existe ao redor. Se não tomar cuidado, você acaba esvaziado por esse tipo de pessoa.

Há várias coisas que fazem alguém ser considerado uma má companhia. Maus olhos, por exemplo. Uma pessoa que tem maus olhos enxerga o pior em todas as outras e em todas as situações. Ela só vê o lado negativo. É maldosa, maliciosa, maledicente. Às vezes o comentário maldoso sai disfarçado de brincadeira. Parece algo inofensivo, mas não é. Essa língua venenosa envenena os seus olhos e, daqui a pouco, você também estará vendo as pessoas de uma forma ruim, sem perceber.

E, se você acha que isso não é problema, sinto lhe informar: é mais grave do que pensa. Os olhos determinam como será nosso mundo: "*São os olhos a lâmpada do corpo. Se os teus olhos forem bons, todo o teu corpo será luminoso; se, porém, os teus olhos forem maus, todo o teu corpo estará em trevas. Portanto, caso a luz que em ti há sejam trevas, que grandes trevas serão!"* (Mateus 6.22,23).

Os maus olhos são como moscas que procuram feridas em um corpo saudável. A mosca, quando encontra uma ferida, coloca ali seus ovos. Assim como os maus olhos dão a impressão de serem inofensivos, por algum tempo, a vítima da mosca não percebe nada. Continua saudável, como se nada tivesse acontecido. No entanto, depois que os ovos estão prontos para eclodir, saem as larvas que vão comer aquela carne. De uma hora para outra, a vítima se torna doente, pode ficar deformada e até mesmo morrer por conta da destruição causada pelas larvas.

O mesmo ocorre com a maldade. Ela pode começar em uma pequena palavra, mas ao encontrar uma ferida dentro de você, irá colocar seus ovos de destruição. Ela vai corroer a sua carne, a sua vida. Cabe a você escolher o que pensar e com quem andar.

E não adianta achar que conseguirá ajudar a pessoa maldosa a ser melhor se ela não estiver disposta a ser ajudada. E só é possível saber se a pessoa quer ou não ser ajudada por meio de suas atitudes. Se ela diz que está tentando mudar, mas continua cometendo os mesmos erros, tome cuidado. Existem pessoas que não querem resolver seus problemas, pois não conseguem viver fora do ciclo de vitimização.

Claro, você não vai simplesmente cortar a comunicação com todas as pessoas de caráter duvidoso, porque no dia a dia do trabalho provavelmente terá de lidar com colegas assim. Eles estão espalhados pela sociedade e é praticamente impossível manter contato zero com esse tipo de pessoa. O que estou dizendo é para evitar amizades íntimas com gente negativa, mau-caráter ou sem princípios éticos. Limite-se ao contato estritamente necessário.

Cuidado também com quem se faz de vítima, vive endividado, pede ajuda financeira, mas continua entrando em empréstimos, parcelamentos e compras desnecessárias. Às vezes a melhor ajuda que você pode dar a essa pessoa é deixá-la sofrer as consequências de suas escolhas. Parece cruel? Mas não é. Porque se ela não enxergar que precisa mudar a forma de pensar e de agir, nunca vai resolver seus problemas. E se o seu "amigo" é daqueles que pede seu nome emprestado, não ceda. Nome é algo que não se empresta.

Selecione também as conversas de que você participa. Se o assunto for a vida alheia, não fique por perto. Esse assunto atrai negatividade, drena as energias e a grandeza interior. Use uma estratégia básica: fale das pessoas apenas o que falaria se elas estivessem presentes. Fofocas são geradas por mentes pequenas. E o sucesso vem para mentes grandes. Sabia que 79% dos pobres fazem fofocas e apenas 6% dos ricos fazem o mesmo? Quem quer crescer não gasta energia cuidando da vida alheia. Emprega todos os seus recursos no seu próprio crescimento e em ajudar as pessoas.

Cerque-se de pessoas que possam acrescentar à sua vida e a quem você também possa ser útil. Escolha conscientemente suas amizades, procure pessoas com quem você tenha afinidade, que tenham os mesmos princípios éticos, que tenham caráter e em quem você possa confiar. Assim, será possível desenvolver uma amizade saudável que seja positiva a todos os envolvidos.

E, conforme for alcançando o sucesso, não se iluda com os elogios. Não se iluda com as aparências, nem com os louvores que receber. Muitas cascas bonitas escondem ovos podres. O melhor e o pior das pessoas está dentro delas.

27° tom: Segunda-feira não é um bicho-papão

Faço minhas palestras às segundas-feiras, mesmo esse dia sendo tão estigmatizado pelo mundo. As pessoas colocaram na cabeça que é um dia difícil, porque, depois do final de semana, recomeça o trabalho e todo mundo quer cobrar o que não foi feito na semana anterior.

A empresa britânica OnePoll, especializada em pesquisas, concluiu que, às segundas-feiras, a maioria das pessoas só sorri depois das 11h16. Acordam tão desanimadas e mal-humoradas que se atrasam para o trabalho e o máximo que conseguem trabalhar depois que chegam é três horas e meia, o que faz a segunda-feira parecer o dia útil mais inútil da semana.

Um dado mais alarmante ainda é o aumento dos suicídios na segunda. O Escritório de Estatísticas Nacionais da Inglaterra comprovou que 16% dos suicídios entre homens, e 17% entre as mulheres, acontecem no primeiro dia da semana, contra 13% aos finais de semana. E, talvez pelo estresse e pressão alta por conta do retorno ao trabalho, os casos de infarto aumentam 20% às segundas, se comparados aos demais dias da semana, segundo o British Medical Journal.

Eis o poder da mente humana: por colocar peso e negatividade no primeiro dia da semana, ele se torna difícil, doloroso e até mesmo mortal! Mas, imagine usar esse poder que existe dentro de você para enxergar a segunda-feira como um dia de oportunidades maiores do que o final de semana. O dia em que você vai se preparar para o sucesso. É isso o que as pessoas que participam do Congresso para o Sucesso fazem. E, no dia em que a maioria está se sentindo desanimada e pouco produtiva, os participantes do Congresso estão entusiasmados e produzindo mais, cheios de energia. Como não irão se destacar?

Nossa cultura valoriza demais o final de semana, como se o objetivo da vida fosse se divertir ou descansar e o trabalho fosse um fardo. Porém, inverta isso em sua cabeça, enxergando o trabalho com outros olhos, e terá uma oportunidade que poucos têm, para conquistar o que poucos conquistam.

Ainda no domingo, imagine que, finalmente, sua semana irá começar. Pense em como isso é estimulante! Cada novo dia de trabalho é uma oportunidade de crescimento pessoal e profissional. Uma semana repleta de possibilidades está à sua frente. E você está com suas baterias recarregadas, pronto para alcançar o máximo de seu potencial.

Aproveite esse dia para leituras que coloquem você para cima, anote em cartões os principais pontos em que você deve trabalhar para se tornar um líder melhor, um funcionário mais eficiente, um gestor mais interessado, um marido mais atencioso, uma esposa mais cuidadosa.

Se o mundo instituiu a segunda como um dia de depressão, não aceite isso para a sua vida. O aspirante ao sucesso é, essencialmente, um revoltado contra a cultura pessimista deste mundo e cria sua própria cultura. Suas segundas-feiras serão dias de entusiasmo e crescimento. Dias de vitória e aprendizado. Comece a semana diferente da maioria e terá uma vida diferente da maioria. Se acordar desanimado pelo fim de semana ter acabado, sorria e determine que vai fazer a segunda ser ainda melhor do que qualquer fim de semana. Você tem poder para isso!

Não dependa de dia, de patrão, de governo, de situação alguma. A pessoa de sucesso faz a circunstância. Muda o que for preciso, transforma o lugar, o ambiente, os pensamentos. Você não precisa ser escravo de suas emoções, pode escolher qual será sua reação diante do que está sentindo. Mesmo que acorde desanimado, pode escolher reagir contra o desânimo com um sorriso, com uma atitude positiva e entusiasmada.

Já aviso que, no começo, você vai ser o ET do escritório. Todo mundo vai estar lá, desanimado, se arrastando em busca de uma xícara de café para se reerguer, e você chegará animado, dando "Bom dia!" a todos, com um belo sorriso no rosto. Ainda que sua vontade pela manhã o induzisse a se arrastar, como eles, você **escolheu** ter outra reação. Decidiu lutar contra a sua vontade e isso gerou dentro de si uma energia que parecia não existir antes.

No começo, todo mundo vai achar estranho. Pode ser que alguns o hostilizem, afinal de contas, você não faz mais parte da Irmandade dos Lamentadores do Café. Não faz mais parte dos que odeiam a segunda-feira e isso fará com que muitos se sintam agredidos. Se você conseguiu mudar de atitude e ter uma segunda produtiva, isso significa que o problema não é a segunda, é cada um dos que não conseguiram. E essa é uma realidade que nem todo mundo pode querer encarar.

Porém, assim que seus colegas se acostumarem, vão ter em você um referencial (os que querem ser alguém na vida, pelo menos). Por meio do seu comportamento, eles verão que é possível enxergar as manhãs de segunda-feira de um jeito mais positivo, divertido e produtivo. Parece pouco, mas se o seu entusiasmo influenciar outras pessoas, você ajudará a diminuir as estatísticas fúnebres das segundas-feiras. O esforço vale a pena, não é mesmo?

E ainda que, no início, você tenha que forçar e fazer um sacrifício, logo a energia que fluirá dentro de você será autêntica. Não estará fingindo um entusiasmo, você realmente estará entusiasmado, porque decidiu reagir positivamente. Isso é comprovado.

Um estudo realizado por cientistas da Universidade Técnica de Munique, na Alemanha, mostrou que há relação entre nossas expressões faciais e nossas emoções.

Ao contrário do que se pensava, as expressões e reações corporais não são apenas consequência de nossas emoções, mas podem ser a causa, em muitos casos. Por isso, sorrir com frequência faz com que você se sinta mais feliz. Manter os músculos do rosto mais relaxados e agir de modo mais entusiasmado faz com que você fique menos tenso e espalhe mais alegria ao seu redor. Então, eis uma boa receita para começar bem sua próxima segunda-feira: sorria para o espelho, pela manhã. E dê um sorriso a todos que passarem por seu caminho.

28° tom: Já é antes de ser

Ninguém nasce grande. Acho que já disse isso. Porém, um dos maiores segredos daqueles que se tornam grandes é que eles já se viam muito maiores do que eram. E não se trata apenas de pensar que um dia poderiam ser grandes, mas de agir como se já fossem grandes. O sucesso começa do lado de dentro.

Todos nós temos três partes: corpo, alma e espírito. O corpo você já sabe o que é. Essa matéria que carregamos para lá e para cá. A alma é a parte dos sentimentos, das emoções. E o espírito é o raciocínio, a parte da decisão, da inteligência. O seu espírito é sua identidade mais profunda. É ele que dá ordem ao seu cérebro e determina quem você vai ser. Ou, pelo menos, ele tem essa função e esse poder.

O sucesso deve começar a se desenvolver no seu espírito. Se tiver um espírito de sucesso, inevitavelmente você será vitorioso. Não tem como evitar isso. Quem você é por dentro hoje determina quem você será por fora amanhã. Sucesso e derrota começam na mente. Por isso, esse é o seu campo de batalha.

Por menor que você seja, não se veja pequeno. Eu gosto do espírito do cachorrinho Pinscher miniatura. Você já viu essa raça? É um bichinho minúsculo. Tem no máximo 30 cm de altura, mas não se intimida com nada nem ninguém. É considerado o menor cão de guarda do mundo. Quem tem um Pinscher em casa tem que ficar atento, porque a qualquer descuido, ele parte para cima de cachorros muito maiores. Ele ataca um Rotweiller de igual para igual porque não se vê pequeno. Se o cachorro grande não tiver consciência do seu próprio tamanho, o Pinscher o coloca para correr.

Claro, existem casos de Pinschers que se dão mal ao atacar cachorros maiores. Qualquer mordida de um Rotweiller ou de um Pit Bull pode matar. Por isso, se você tem um Pinscher, não o deixe perto de um cachorro grande que ele não conheça. O cachorrinho pode se dar mal por sua coragem. Porém, se você está com Deus, não corre esse risco. Pode ser corajoso, pode ir para cima do problema sem medo, pode enfrentar desafios. O Pinscher confia só na sua força, mas você tem a força de Deus com você.

Conheci um casal que abriu a empresa em casa. Eles não tinham um escritório, não tinham nada. Trabalhavam em cima da cama com o computador, mas ligavam para grandes empresas e falavam de igual para igual, como se eles já fossem uma grande empresa. Claro que o negócio cresceu e hoje eles são grandes. Se viram grandes e se tornaram grandes. E quando a pessoa acha que é grande, ela parte para cima de qualquer coisa. Quando a pessoa tem medo, no máximo enfrenta um problema do tamanho dela e, ainda assim, enfrenta chorando, com medo. Mas se ela se vê grande, enfrenta o que for, do tamanho que for. Como o pequeno Davi enfrentou o gigante Golias.

Não tenha medo de se achar grande. Isso é diferente de ser arrogante. Você pode ser humilde e se ver grande ao mesmo tempo, porque humildade é não passar por cima dos outros, é pensar nos outros, é ser doador, ser justo, ter caráter e não se achar melhor que ninguém. Percebe a diferença? Você é grande, mas nem por isso pode pisar nos outros. Quem é grande de verdade não pisa em ninguém. Arrogância é coisa de gente pequena.

Já comentei sobre isso, mas é bom reforçar: se você quer uma promoção no trabalho, o melhor caminho é começar a agir como se já tivesse sido promovido. Procure desenvolver as habilidades necessárias para a nova função, se esforce para se tornar a pessoa que você quer ser. Não espere que ninguém coloque você no lugar em que você quer estar. Conquiste esse lugar você mesmo.

Vista-se como a pessoa que você quer ser. Comporte-se como se já tivesse o cargo, a posição ou a profissão que você quer ter. Olhe para a sua empresa como se ela já fosse importante. Olhe para si mesmo como se já fosse importante. Não se menospreze. Não se diminua. Decida quem você se tornará, escolhendo como você se enxerga.

29º tom: Esteja sempre em movimento

Quem fica parado não sai do lugar. A pessoa de sucesso está sempre pensando em uma forma melhor de fazer as coisas. Enquanto anda, ela conquista. Se para, também para de conquistar.

Parece algo óbvio de se dizer, mas, quem fica parado não sai do lugar. Muitos param e culpam a Deus pela vida estar estagnada. Pense bem. As pernas são minhas. Eu ando, eu paro, eu corro a hora em que eu quiser. Deus não tem nada a ver com isso. Se eu parar, não posso responsabilizar Deus por não estar caminhando.

Uma mulher formada em direito tentou duas vezes a prova da Ordem dos Advogados do Brasil, mas não passou. Ela veio se lamentar, contando que reprovou duas vezes e não ia tentar mais. Eu disse: "Ok. Se a senhora quer parar, a senhora para. É sua escolha. Mas sem passar na prova da OAB vai ficar sem poder advogar". Não era a derrota na prova que a deixaria sem poder exercer sua profissão. Era a desistência dela. A escolha que ela queria fazer. — Felizmente ela entendeu e mudou de ideia. Insistiu até passar na prova.

Se vai demorar muito ou se vai demorar pouco, não importa. O que importa é que só quem anda é que vai para frente. Não peça a Deus para guiar seus passos se não estiver disposto a se mover.

Deus falou para Josué: *onde você pisar a planta dos seus pés, Eu vou te dar*. Havia necessidade de avançar. Deus nunca foi a favor da pessoa parar, mas se ela quer parar, o que Ele vai fazer? Se eu quiser andar, eu ando. Se eu quiser cruzar os braços, eu cruzo. Não depende de Deus, depende de mim.

Depois de muitos anos e muitas batalhas, Deus disse a Josué: *já estás velho, entrando em dias, e ainda muitíssima terra ficou para se possuir...* Em outras palavras, "Ô Josué, você está velho, está parando, mas tinha muita coisa para você conquistar". Poxa, só dependia dele! Só dependia dele avançar, pisar a planta dos pés, ir para a batalha. Deus prometeu que daria a terra em que ele pisasse. Dependia dele não parar.

Até hoje eu não parei, porque sei que se eu parar, Deus põe outro em meu lugar, porque Ele não para. E se eu enfrentar uma luta e desanimar, cada dia vou ficar mais para trás ainda. Mas, se eu for uma pessoa forte, aguerrida, determinada, luto contra a situação, não paro, insisto. Se perder dez vezes, tento de novo, porque essa perseverança está dentro de mim — e tem que estar dentro de você também.

Você pode estar com tudo velho na sua vida, pode estar morando em uma casa caindo aos pedaços, pode estar com seu maquinário velho, dívidas antigas fazendo aniversário, pode estar com problemas velhos. Pode estar tudo velho, mas ainda tem muita coisa para conquistar. Se não parar, você sai dessa situação.

Não se acomode com aquilo que já sabe, com o que já conquistou ou com o que acha que é seu limite. Pessoas de sucesso estão sempre aprendendo, sempre se aprimorando e se atualizando. E não se limitam ao ensino formal. Pessoas limitadas é que saem da faculdade achando que já aprenderam tudo o que precisavam aprender. É por esse pensamento errado que muita gente pós-graduada não sai do lugar, enquanto muita gente que só tem o ensino fundamental (mas pensa certo) cresce. Não se preocupe com quantos passos ainda faltam para alcançar seu objetivo. Pense nos passos que pode dar hoje.

30º tom: O problema não é o lugar

Viajar. O sonho de muita gente estressada e sobrecarregada. Qualquer feriadinho já é suficiente para a pessoa arrumar as malas e pegar o engarrafamento para qualquer lugar. Como se ver outros lugares e outras pessoas fosse resolver sua vida. Se for apenas um cansaço de ver sempre as mesmas coisas, talvez funcione. Ou talvez não. Depois, a rotina vai voltar e a correria será a mesma.

A memória afetiva das férias, ou mesmo as coisas que vê na televisão, criam na pessoa a ilusão de que uma viagem ou uma mudança de ares é o que ela precisa para recarregar as baterias, ou mesmo para mudar de vida. Vem a vontade de largar tudo e ir para bem longe, largar emprego, família, deixar o passado para trás e fazer uma nova história, em outro lugar. Porém, desculpe estragar suas ilusões, se não mudar o que tem dentro de você, não vai adiantar nada.

Sabe essa vontade de largar tudo e ir para bem longe? Não se resolve isso mudando o lugar em que seu corpo está, mas sim mudando o lugar em que sua mente está. Mude seu padrão de pensamento e sua vida mudará. O sucesso não está relacionado ao lugar em que você está, mas ao que há dentro de você. Isso pode parecer clichê, mas é verdade. Mudar de cidade ou de país sem resolver seu problema interior é uma cilada. A mudança de ambiente só funciona quando o seu interior está estruturado, caso contrário, é capaz de ficar ainda mais perdido, porque ainda que você consiga se livrar dos problemas relacionados ao lugar, outros problemas surgirão no outro lugar, talvez até piores. E você precisará resolvê-los.

Sair do seu mundinho não significa, necessariamente, sair fisicamente do lugar em que você está. Você precisa sair de sua zona de conforto, sair do mundinho em que sua mente está aprisionada. Isso é algo interior, não exterior. Conheci um casal que vendeu tudo aqui no Brasil e foi para os Estados Unidos, cheio de ilusão. Chegando lá, eles se depararam com as piores humilhações. Não aguentando mais, voltaram, sem nada, e foram morar com a família, de favor, porque tiveram que vender a casa para levantar o dinheiro, que nos EUA evaporou.

Adão e Eva fracassaram no Paraíso, mas o Senhor Jesus venceu no deserto. Ló fracassou nas campinas do Jordão e Abraão venceu no deserto. Não diga que o problema é o lugar, porque o lugar não faz a diferença. O que faz diferença é o que está dentro de você.

O poder de mudar uma situação difícil sempre esteve com o ser humano, nunca esteve com Deus. Todas as vezes em que as pessoas tentaram empurrar isso para Deus, Ele se ofendeu. Quando Moisés foi falar com Deus sobre uma situação da multidão no deserto, Ele disse, *vem cá, Moisés, acaso minha mão se encurtou?* (Números 11.23). Outra vez Abraão disse que estava difícil, Deus perguntou: *há alguma coisa demasiadamente difícil para Mim?* (Gênesis 18.14). Deus nunca aceitou impossibilidades. Na cabeça do ser humano é que as coisas são difíceis.

Até quando você vai carregar isso na sua cabeça? O difícil para a gente é fácil para Deus. O impossível para a gente é possível para Deus. Há pessoas viciadas em dizer "tá difícil". Tire da sua cabeça que está difícil.

Sua felicidade não pode estar atrelada a nenhum lugar, a nenhuma situação externa. Seth Godin colocou isso em palavras bem claras: *"Em vez de ficar sonhando com o seu próximo destino de férias, talvez você devesse criar uma vida da qual não precisasse fugir"*.

Se você não é feliz no lugar em que está, provavelmente não o será em nenhum outro lugar. Essa vontade de mudar, de fugir, de sumir é, na verdade, sua alma gritando por socorro, por mudança interior. Saia do seu mundo, em que tudo é difícil, e venha para o mundo em que tudo é possível. Essa mudança está a seu alcance. Criar uma vida da qual você não precise fugir exige planejamento e fé inteligente. Se tentar fazer isso na emoção, vai se espatifar. Mas se fizer esse planejamento na fé, com perseverança, não tem como dar errado.

Eu nunca vi Deus. Eu não sei qual é a aparência dEle, mas uma coisa eu sei: Ele se alegra com a fé. Disso eu tenho certeza. Se você quer alegrar a Deus, mantenha sua convicção de que nada é difícil. Se tem uma aliança com Ele, não precisa se preocupar com nada. Quando a pessoa está na fé ela é forte, ela não tem limite, ela supera tudo, ela vence em qualquer lugar.

Atendo pessoas de 70 anos que perderam tudo e eu sempre digo *vai em frente,* porque creio que no mundo da fé consciente não tem idade, não tem dificuldade. O que define o futuro de uma pessoa é a maneira de ela enxergar o mundo. É como ela se vê, é o lugar em que sua mente está, independentemente da idade do seu corpo ou da localização geográfica em que se encontra.

Em vez de gastar seu tempo, esforço e dinheiro com planos de fuga da cidade ou do país, invista esses recursos em criar uma vida da qual você não precise fugir, começando pela mudança em seu interior. É possível se tornar uma pessoa motivada, entusiasmada, segura e emocionalmente estável. Se aplicar o que temos ensinado até aqui, pode ter certeza de que, não importa sua situação atual, sua vida vai mudar e deslanchar, ainda que você permaneça na mesma cidade em que seu primeiro negócio faliu. Todos os que testemunharam seu fracasso serão os mesmos a testemunharem seu sucesso e, certamente, se sentirão inspirados pelo seu exemplo.

31° tom: A grama do vizinho não é sua

Já reparou que as pessoas têm medo de falar de suas realizações? As conversas que fluem com mais facilidade são sobre problemas e desgraças. Há uma crença de que falar muito sobre as coisas boas que acontecem conosco atrai coisas ruins. As pessoas têm medo de crescer na vida e ser invejadas. Acham que existe algum poder maligno capaz de derrubá-las e destruir todas as chances de terem um futuro decente. Sim, esse poder, na verdade, existe. Mas será que você precisa temê-lo? No livro *50 dicas para blindar sua fé*, o Bispo Macedo diz o seguinte:

"Quem pode amaldiçoar o que Deus abençoou? Se a sua vida está verdadeiramente nas mãos de Deus, não há inveja, olho gordo ou qualquer maldição que possa chegar até você. O diabo precisa tocar em Deus antes de tocar em você, como será capaz? Balaão foi pago para amaldiçoar Israel, mas só conseguiu abençoá-lo ainda mais. O segredo para essa invulnerabilidade é uma vida de sinceridade e obediência a Deus."

Se você fez um pacto com Deus, para atingir você a inveja teria que atingir a Ele primeiro — e isso é impossível. Qualquer influência negativa teria que passar por cima de Deus para alcançar você. Não é preciso sequer se preocupar com inveja se tem esse pacto.

Agora, se você está desprotegido, realmente isso é suficiente para amarrar sua vida e fazer até o que estava dando certo dar errado. Mas, mesmo nesse caso, se preocupar com a inveja não a fará desaparecer. Ter medo dela, também não. A melhor coisa que você pode fazer é buscar proteção. Não em rituais, simpatias, religiões ou amuletos, mas em um relacionamento real com Deus.

A inveja faz parte da natureza humana. Você pode ir para qualquer lugar do mundo, sempre vai ter gente invejosa, sempre vai ter gente torcendo contra. Se for se preocupar com isso, não sobrará mais tempo para trabalhar e viver.

Você não tem controle sobre o que os outros sentem ou o que pensam a seu respeito. E, se importar com isso, procurando identificar quem tem inveja de você ou não, querendo se proteger a todo custo ou atacar o invejoso, é demonstração clara e inútil de medo. Não vai mudar nada. Se você acredita que é capaz, ignore a opinião dos outros e siga em frente. Nem sempre é bom saber o que os outros pensam. Se está muito preocupado com a opinião dos outros, provavelmente está faltando trabalhar sua autoconfiança.

Se virar um caçador de inveja, achando que todo mundo está com inveja de você e que, por isso, a sua vida não muda, estará colocando a responsabilidade do seu sucesso sobre os outros. Talvez aí esteja a razão de sua vida não andar. Você olha com maus olhos para os outros, tentando sempre ver o pior neles, e deixa de olhar para sua própria vida e de se responsabilizar por ela. Se você não buscar o seu sucesso, ninguém mais vai buscar.

Quem se incomoda com a inveja e quem sente inveja têm um comportamento bem parecido: vivem focados nos outros e se sentem atacados. Quem se incomoda se sente atacado pelo invejoso; já o invejoso, se sente atacado pelas conquistas da pessoa.

Na maioria das vezes, o invejoso sequer percebe que sente inveja. Talvez você seja invejoso e não saiba. Isso, sim, você tem o poder de mudar. A inveja começa com uma comparação. Ao comparar a outra pessoa com você (ou as realizações dela com as suas), você se sente diminuído, inferiorizado. Isso pode causar uma reação inconsciente de defesa. Você se sentiu atacado e pode perceber isso por meio de reações instintivas de raiva, irritação, desprezo, etc. Nem sabe por que se irrita tanto em ver a pessoa. Quanto melhor ela parece, mais irritação causa.

No entanto, se algo ruim acontece com ela, você sente uma ligeira satisfação. Uma sensação de alívio, um sentimento de prazer ou mesmo um "bem-feito" lá no fundo da alma. O alívio não vem por você ser uma pessoa malvada que quer o mal dos outros, mas porque a desgraça daquela pessoa faz você se sentir menos inferiorizado. Mas esse sentimento de alívio não dura muito. Ainda que a pessoa fosse completamente destruída, a qualquer movimento dela você se sentiria mal novamente. Porque o problema não está nela, está dentro de você.

Durante um estudo, o neurocientista japonês Hidehiko Takahashi, do Instituto Nacional de Ciência Radiológica, em Tóquio, induziu os voluntários a imaginarem histórias envolvendo três personagens do mesmo sexo, profissão e faixa etária deles. Dois deles seriam mais capazes e inteligentes. Por meio do monitoramento por ressonância magnética, o cientista descobriu que a inveja ativa exatamente a mesma região cerebral que processa a dor física. Então, a inveja é um sentimento que literalmente causa dor.

Provavelmente por isso a pessoa invejosa se sente agredida. Seu cérebro acredita que ela está sendo machucada, afinal de contas, sente dor. Logo, vê o outro como o agressor. Sua mente, então, começa a criar teorias que o convencem de que o outro não é tão bom assim, não é tão legal assim, nem tão bem-intencionado. Sua mente começa a olhar com maus olhos, a julgar que a pessoa só venceu por sorte, porque fez algo ilícito ou porque está enganando alguém. É como se alguma desvantagem ela precisasse ter, para que a dor seja amenizada. No entanto, o que seu cérebro não sabe é que você mesmo está provocando essa dor, ao permitir que esse sentimento se instale.

Há diversos níveis desse sentimento, tudo depende da sua autoaceitação, da sua autoconfiança e do espaço que dá para que isso tome conta de você. A inveja é tão destrutiva que a Bíblia diz que ela apodrece os ossos (Provérbios 14.30). Osso é muito resistente, não é qualquer coisa que consegue apodrecê-lo. Tanto é que se encontram ossos depois de muitos anos da morte. A inveja, ainda que causada por uma pequena insegurança, é capaz de corroer o que resta de força dentro de você, o deixando cada vez mais frágil.

E, atenção: Não existe "inveja boa" ou "inveja branca", muito menos "inveja santa". Não existe jeito certo de fazer o que é errado. Inveja é inveja e deve ser extinta da sua vida se você realmente quiser ter sucesso. Mas como conseguir isso? Primeiro, é importante identificar a inveja. Já falamos aqui que ela surge da comparação e da sensação de que você está em desvantagem. Porém, nem sempre essa sensação é consciente. Geralmente, você só se irrita com a presença da pessoa ou com comentários positivos a respeito dela. Fique alerta e analise suas reações ao sucesso e ao fracasso de quem o rodeia.

É normal ter admiração por pessoas bem-sucedidas. Você vê alguém fazendo o que você gostaria de estar fazendo e fica feliz pela pessoa. Ou você vê o que o outro conquistou e se dá conta de que gostaria de conquistar algo assim também, mas não sente raiva, nem se irrita com o outro. Isso é admiração. Essa reação pode até levá-lo a trabalhar mais e melhor para alcançar os mesmos resultados. Você olha para si em vez de ficar olhando para a vida do outro. Isso é positivo, pois percebe que também tem condições de chegar aonde a outra pessoa chegou, e se esforça para isso. Porém, não quer derrubá-la, nem quer que ela caia para que você se sinta melhor.

Olhe para si e perceba o que quer alcançar, quais as qualidades gostaria de ter, independentemente do que não deu certo ou do que não fez (não se esqueça de olhar para frente se quiser seguir adiante). Quem você quer ser? Ao definir isso, trabalhe para alcançar. Você terá trabalho o bastante para fazer, não sobrará tempo para olhar para o outro ou se preocupar com a vida alheia.

Se a pessoa está realmente fazendo alguma coisa errada, nem mesmo assim você deve ter raiva. O que Deus nos orienta é continuar confiando nEle. *"Não tenha o teu coração inveja dos pecadores; antes, no temor do SENHOR perseverarás todo dia. Porque deveras haverá bom futuro; não será frustrada a tua esperança".* (Provérbios 23.17,18)

O salmista Asafe passou por esse problema. Ele disse: *"Com efeito, Deus é bom para com Israel, para com os de coração limpo. Quanto a mim, porém, quase me resvalaram os pés; pouco faltou para que se desviassem os meus passos. Pois eu invejava os arrogantes, ao ver a prosperidade dos maus"* (Salmos73.1-3). Ele quase caiu por causa da inveja, por achar que para os outros tudo era mais fácil, que eles faziam tudo errado e, mesmo assim, se davam bem. Ficou olhando para a vida dos outros e chegou a pensar que tinha sido inútil fazer as coisas certas. Esse tipo de pensamento é tão perigoso que ele diz que faltou pouco para se desviar do caminho. Pense bem, vale a pena correr o risco de perder o melhor que há em você por causa de um sentimento inútil desses?

Se mantiver esse sentimento dentro de si, não estranhe se a sua vida não for para frente. Você trabalha, trabalha, se esforça, corre atrás, faz de tudo, mas não consegue ver resultado à altura. Algum resultado até vem, mas nunca proporcional ao seu esforço. Começa até a achar que está sendo vítima de inveja, mas talvez o invejoso seja você. Preste atenção a esse provérbio: *"Aquele que tem olhos invejosos corre atrás das riquezas, mas não sabe que há de vir sobre ele a penúria"* (Provérbios 28.22).

Quer sucesso? Quer colher os frutos do seu trabalho? Então pare de olhar para a vida dos outros e comece a olhar para a sua e confiar em Deus. Você também pode ter o que as pessoas de maior sucesso têm, mas não vai conseguir se continuar se deixando levar por esse sentimento corrosivo.

Não desperdice seu tempo com aquilo que você não pode mudar ou que não vai alterar sua vida. Você tem qualidades que ninguém mais tem. Procure desenvolvê-las. Crie estratégias para alcançar seus objetivos, desenvolva sua fé, a convicção de que você chegará onde quer. Fique feliz pelas realizações dos outros, se treine a desejar que os outros alcancem sempre mais. Quanto maiores forem as realizações dos que estiverem ao seu redor, melhor será o ambiente. Mesmo se tratando de um concorrente. É melhor concorrer com alguém bem-sucedido, pois eleva os seus próprios padrões. Até porque sua maior competição é com você mesmo.

32º tom: Desenvolva seu raciocínio

A era da tecnologia chegou, fazendo uma revolução não apenas na forma de se produzir as coisas, mas em nossos hábitos diários. A correria do dia a dia nos levou a sacrificar aquilo que jamais deveríamos ter sacrificado: nossa capacidade de pensar. A maioria vive no modo automático e não faz nenhuma pausa para revisar suas metas e analisar sua vida. Além disso, a capacidade média de concentração das pessoas é de apenas 3 a 5 minutos. Então, elas se distraem e têm dificuldade de terminar seus afazeres.

Essa é a mediocridade. A maior parte da nossa sociedade não se esforça mais para fazer aquilo que nos torna humanos. Então, sem conseguir se concentrar em nada, essas pessoas simplesmente seguem o fluxo. Se deixam levar pela correnteza, reagindo aos outros, contando com a "sorte", com alguma figura mágica sobrenatural (que alguns pensam que é Deus), com alguém que faça alguma coisa por elas quando elas mesmas não querem fazer nada.

Saia dessa insanidade! Pare agora mesmo. Desenvolva o hábito de pensar, de analisar sua vida e ver se está seguindo o rumo correto. Isso é algo que ninguém mais pode fazer por você. Só você pode pensar por você. Thomas Corley, autor do livro *Rich Habits*, passou cinco anos pesquisando as diferenças entre os hábitos das pessoas ricas e das pessoas pobres e descobriu que uma das mais importantes diferenças entre esses dois grupos é o hábito de pensar.

Os pobres não investem tempo pensando, eles simplesmente reagem à vida e se deixam levar pelas circunstâncias. Já os ricos, fazem tempo para pensar em silêncio. Geralmente, usam os primeiros minutos da manhã. No carro, indo para o trabalho, ou no chuveiro, antes de sair. Quinze a trinta minutos de suas manhãs são investidos nesse exercício. Eles pensam sobre tudo. A reflexão é um hábito, como escovar os dentes.

Se você não tem o hábito de pensar, seus pensamentos serão guiados por suas emoções e impulsos. Serão, em sua maioria, pensamentos reativos. E, muito provavelmente, negativos. Apenas reforçarão seus problemas e diminuirão sua energia. Então, não vai adiantar dizer que tem fé ou esperar que a solução dos seus problemas caia do céu. É necessário usar aquilo que você tem.

Bilhões de pessoas têm fé e não alcançam resultado. E por que essa fé não funciona? Porque, para funcionar, ela deve estar ligada à inteligência. Embora eu seja a favor de um relacionamento pessoal com o Deus de Abraão, sou totalmente contra religião — qualquer religião. Isso pode parecer contraditório, devido ao fato de eu ter largado meu trabalho secular para me dedicar ao trabalho missionário, mas eu não enxergo o trabalho com missões como uma questão religiosa. Também não vejo a Bíblia como um livro religioso, mas como um manual de instruções para a vida.

A religião hoje está tão institucionalizada e tão burocratizada que, na tentativa de manter as pessoas no grupo religioso, as afasta de Deus e de seu crescimento espiritual. A fé de que a Bíblia fala não tem a ver com religião. Ela pode ser exercida dentro de uma igreja, mas não depende da igreja para existir, pois é algo entre a pessoa e Deus. A religiosidade emocional leva a pessoa a desligar a própria mente e, muitas vezes, se tornar fanática. Não apoio isso e nunca apoiarei. Você vê a pessoa andando com pé de coelho, porque disseram para ela que dá sorte. Isso tem algum fundamento? Não deu sorte nem para o coelho!

A fé que está apoiada em superstição, na emoção, no que os outros falam, no que a pessoa sente, não faz ninguém evoluir. Pelo contrário, apenas mantém a pessoa cada vez mais dependente dos outros, de uma igreja, do pastor, de um grupo religioso, de um amuleto, de uma imagem qualquer, de uma ideia. E você não pode ser dependente de ninguém aqui neste mundo.

A fé não pode estar apoiada em nada deste mundo. A fé que dá resultado é a que se apoia exclusivamente na Palavra de Deus. Quando Gideão confrontou o Anjo que o saudou com um "O Senhor é contigo, homem valente!", questionou aquela afirmação comparando os resultados. Isso é inteligência.

O resultado que ele via não era compatível com a vida de alguém que estivesse com o Senhor. Ele mencionou as maravilhas que Deus fez no passado. Um Deus capaz de fazer o que Ele fez para libertar Seu povo no passado jamais seria inoperante na vida de alguém. Então, aquilo não fazia sentido. Ele questionou, não em tom de rebeldia, mas no tom de quem acredita tanto no que ouviu que percebe a inconsistência entre as informações. Isso é fé. E é puro raciocínio lógico.

Não é errado perguntar. Não é errado se questionar. Não é errado conferir o resultado que você está vendo agora com o que a Palavra de Deus promete. Quando você era criança, perguntava tudo. "Para que isso?" "Pai, por que aquilo?" Você cresceu e parou de fazer perguntas. Não pare de perguntar. Sua fé precisa ter fundamento racional para se desenvolver e dar frutos. O convite de Deus é um convite à razão. *"Vinde e raciocinemos, diz o SENHOR"* (Isaías 1.18 — versão Almeida Século 21).

A fé funciona como um sexto sentido. Você conhece os cinco sentidos: visão, audição, tato, olfato e paladar. Todos os nossos sentidos devem ser usados com inteligência. As pessoas cujas profissões dependem do uso dos cinco sentidos não podem contar apenas com o que receberam naturalmente. Elas treinam seus sentidos, usando a inteligência, para seu aprimoramento profissional.

Os baristas, por exemplo, são profissionais especializados no preparo de cafés de alta qualidade e também em criar receitas originais com esses grãos. Eles precisam conhecer todos os tipos de café e diferenciá-los pelo sabor e pelo aroma. Para isso, treinam seus sentidos do paladar e olfato. O mesmo acontece com perfumistas, que precisam criar fragrâncias exclusivas e fazem uso consciente do olfato para despertar sensações e reações emocionais em quem usar seus perfumes.

Se usar o olfato e o paladar com inteligência, aprendendo a diferenciar sabores e aromas e analisar a combinação deles de forma consciente, você também pode se tornar um excelente chef de cozinha. Se usar seus olhos com inteligência, conseguirá desenvolver sua imaginação. Usando sua visão com inteligência, um fotógrafo faz registros impressionantes, aproveitando a luz de forma coerente e com sensibilidade. O mesmo uso inteligente da visão faz um pintor de paredes ser tão bom quanto qualquer artista, sabendo combinar as cores e distribuir a tinta de maneira a conseguir o efeito esperado. Muitas profissões podem se beneficiar do uso consciente de um sentido ou outro. Porém, a fé é o único sentido capaz de beneficiar todas as profissões, indistintamente.

Por meio do aprimoramento consciente da fé, a pessoa é capaz de se transformar no melhor profissional do seu setor. Se usar a fé sem inteligência, aleatoriamente, não vai ter resultado, mas se usá-la aliada à sua inteligência, seu desenvolvimento será muito maior do que você jamais imaginou.

Desenvolva o hábito de pensar, de encontrar soluções por meio da certeza de que você conseguirá alcançar seus objetivos. Você tem 365 dias no ano para pensar. Se pensar em uma coisa por dia, terá pensado em 365 coisas. Você conseguirá alcançar muito se sair do banco do passageiro e tomar a posição de motorista da sua mente. Pare de reagir e comece a agir. Pare de aceitar tudo passivamente e comece a pensar. Não tenha preguiça no meio do caminho, não pare de pensar. Não é um trabalho com fim. É um processo que se inicia no dia em que decidimos nos responsabilizar pelos resultados que alcançamos — e que só termina quando paramos de respirar.

O burro é muito forte, mas não usa a cabeça. Carrega um peso tremendo. É como as pessoas que trabalham com os braços, mas não com a cabeça. E não falo apenas do trabalho braçal, mas também do trabalho feito de modo automático, mecânico, sem espírito e sem meta. Há pessoas jogando seu talento e seu tempo no lixo por não pararem para pensar. Pessoas formadas, se sujeitando a empregos que não as levarão a lugar nenhum.

Dependendo do emprego, você ganha muito mais vendendo alguma coisa no semáforo. E ainda lhe sobra tempo para investir naquele curso bacana ou no seu hobby predileto que pode se transformar em um novo negócio no futuro. Você não tem que trabalhar apenas com sua força, mas também com sua cabeça. Caso contrário, pode se matar de trabalhar, mas, no longo prazo, não terá o que quer. Ganha mais quem aprende a trabalhar com suas ideias. É só analisar a vida dos bilionários e ver se trabalham com a força ou com a cabeça.

E não importa seu currículo escolar. Não importa o tipo de aluno que você foi no passado. Algumas pessoas medem sua inteligência pela análise do currículo. "Ah, eu sou burro, não terminei os estudos." O que uma coisa tem a ver com a outra? Ensino formal é importante, mas não é garantia de nada, nem avalia inteligência. Gênios como Benjamin Franklin, Bill Gates, Steve Jobs e Walt Disney nunca terminaram uma faculdade. Mesmo assim, escreveram seus nomes na História.

Também não importa sua classe social, sua história familiar ou sua condição financeira. Quanto mais baixo você estiver quando começar a subir, maior será sua história de superação. É muito mais forte a história do sujeito que era mendigo e hoje é um empresário que dá emprego para muita gente formada do que daquele cidadão que teve uma trajetória linear tradicional. Não desmereça seu potencial pelo seu passado ou por suas condições. Se tem condições de compreender as palavras deste livro, você tem condições de pensar e construir uma nova história. Você é inteligente e pode usar sua inteligência como nunca imaginou.

O físico Albert Einstein escreveu algo que serve para cada um de nós. Palavras de um homem que hoje é sinônimo de genialidade, mas que, nunca é demais lembrar, não foi reconhecido por seus professores quando criança. Ele disse: *"Quem conheceu a alegria do entendimento conquistou um amigo infalível para a vida. O pensar é para o homem o que o voar é para as aves. Não tomes como exemplo a galinha quando podes ser uma cotovia"*.

Você pode ser muito mais do que tem sido. Tem muito mais potencial do que imagina. Pare de acreditar que não pode e comece a desenvolver seu entendimento. Não se contente com nada menos do que aquilo que você foi feito para ser.

33° tom: O valor da disciplina e planejamento

Nada de bom se desenvolve no caos, na desordem. Para progredir, é necessário ter disciplina, organização e perseverança. Porém, essas qualidades têm se tornado cada vez mais raras. As pessoas estão sendo treinadas a buscar recompensas rápidas. Se algo não parece agradável ou se o resultado não chega logo, elas desistem.

Até no trabalho a busca pela satisfação instantânea está presente. Se recebe um "não" de um cliente, se não fecha uma venda, a pessoa logo desanima. Se faz duas, três, dez ligações para prospectar clientes e não consegue marcar nenhuma visita, já acha que não vai dar resultado. Procura uma fórmula rápida de sucesso, uma receita em que só precise acrescentar água, como se a vida fosse um pacote de macarrão instantâneo.

A estrada do sucesso exige paciência, exige disciplina, exige que se mantenha firme na certeza do resultado que se espera, ainda que ele demore mais que o planejado. A estrada do sucesso exige organização, planejamento e autocontrole.

Só há uma forma de se desenvolver disciplina: por meio do uso da sua capacidade de decisão. Lembra dela? Você precisa, primeiro, planejar o que quer fazer. O que precisa resolver? Precisa desenvolver um hábito? Criar uma rotina de exercícios? De ligações para clientes? Planeje seu dia, seu mês, seu ano. Anote todas essas coisas. Decida cumprir o que determinou. Comprometa-se com a sua decisão, como questão de honra. E não sossegue enquanto não terminar o que começou. Encare como um jogo em que precisa cumprir determinadas tarefas para acumular pontos. É assim que se desenvolve disciplina.

Aprender a dizer não a si mesmo é um hábito absolutamente necessário para quem quer se destacar da multidão. Você terá de negar a alguns impulsos, sentimentos e vontades e se treinar a fazer o que tem de ser feito, mesmo que não sinta vontade. Desligar a televisão. Fazer mais um telefonema, com um sorriso no rosto (sabia que a pessoa do outro lado da linha percebe se você estiver sorrindo? Sua voz transmite energia). Sair, mesmo com sono, para aquela caminhada. Dizer não à torta de chocolate. Dizer não à vontade de sair mais cedo do trabalho quando não terminou aquele projeto importante. Dizer não à vontade de brigar com o funcionário, com o patrão ou com o colega. Pensar antes de agir. Pensar antes de falar. Medir as consequências. Há muitas maneiras de negar a si mesmo para obter benefícios de longo prazo.

Visualize as recompensas de longo prazo. Uma das melhores maneiras de lidar com a angústia de não ver resultados imediatos naquilo que você está fazendo é pensar no que irá acontecer quando alcançar sua meta.

É como construir um prédio. Você faz várias partes ao mesmo tempo e até comemora quando uma etapa é concluída, mas sabe que ainda faltam muitas etapas até completar a obra. Porém, se tiver em mente a imagem clara do que vai alcançar quando concluir todas as etapas, fica muito mais fácil passar por todas elas, como fases de um jogo empolgante.

Quando visualizar o que você quer alcançar, procure usar todos os seus sentidos. Imagine o prédio pronto. Imagine o projeto concluído. Não imagine como se estivesse vendo um filme, do lado de fora. Imagine como se estivesse vivendo aquele resultado. Veja com os seus olhos. Toque com suas mãos. Sinta com seu olfato, com seu paladar. O que você pensa, ao ver que chegou onde queria? O que isso faz com seu interior? Não há nada mais gratificante do que atingir suas metas. Atletas fazem isso. Visualizam o resultado e também o processo. Usam todos os seus sentidos e liberam sua imaginação. Assim, eliminam a sensação de impossibilidade, o medo e a necessidade de resposta imediata.

Não se importe com o que ouvir no processo. As outras pessoas não viram o que você viu. Elas não tiveram a experiência que você teve. Elas não fazem a menor ideia, mas se surpreenderão quando a sua visão se tornar realidade.

Habitue-se a fazer isso em tudo na sua vida. Perca o medo do futuro criando o futuro em sua mente. Quando planeja, você cria a percepção de que é um agente ativo de seu futuro. Sua mente percebe que está plantando e sabe o que irá colher. Você não conta mais com a sorte, você usa sua fé para planejar sua prosperidade. Planeje seu dia, seus sonhos, seus projetos na vida pessoal e no trabalho. Visualize o que quer alcançar e trabalhe, fazendo o que precisa fazer, ainda que não sinta vontade.

Se você tem pintado seu quadro de sucesso com todos os tons de que falamos até agora, sabe que a vitória é inevitável para quem pratica esses ensinamentos. Então, persiste, mesmo em meio a oposição.

34º tom: Sem desperdício

Gente de sucesso não gasta à toa. Não sai fazendo milhares de prestações quando poderia guardar dinheiro para comprar à vista. Não gaste mais do que tem e controle o seu cartão de crédito. Quando vir seu dinheiro escoando como água, pense primeiro em consertar o vazamento da torneira antes de se lamentar de não ter uma caixa d'água maior.

Eu ainda era muito novo quando meu pai, por não concordar com uma escolha que fiz, decidiu parar de me ajudar financeiramente. Eu tinha 17 anos, já trabalhava por conta própria, mas contava com a ajuda que ele me dava para o capital de giro. Quando ele me disse que não me ajudaria mais, tive que pensar em uma solução drástica e rápida.

Foi bem na época da hiperinflação. A inflação a 30%, 40% ao mês fazia com que o dinheiro perdesse o valor da noite para o dia. Para meu dinheiro não desvalorizar, eu ia ao mercado e procurava promoção de leite em pó e óleo de soja, produtos que eu sabia que tinham giro alto e validade de dois anos. Todo mundo consumia esses alimentos, então em qualquer época que eu resolvesse vendê-los (dentro da validade, é claro) eles teriam mais valor do que o dinheiro que eu tinha. Não conhecia nenhum investimento que me desse 30% de rentabilidade ao mês, então investi tudo o que eu tinha em latas de leite em pó e de óleo de soja.

Nem todo mundo entendeu. Quando você compra coisas para si e as pessoas veem as compras que você fez, todo mundo entende. Alguns até acham que você está prosperando. "Ó, fulano comprou um carro! Está bem, hein?" Como se gastar fosse o indicativo do sucesso. Mas, antes de poder gastar, você tem que ter dinheiro para gastar e, para isso, precisa investir, fazer sacrifícios. Não existe sucesso sem sacrifício.

E não espere que as pessoas entendam quando você escolhe fazer um investimento. Tinha um familiar meu que falava "rapaz, você vai ficar maluco"! Ele achava que eu estava só pensando em dinheiro, mas eu pensava lá na frente. Eu queria montar meu comércio, mas ainda não tinha o capital necessário para isso.

Hoje, vivemos em um mundo que valoriza o consumo. É claro que você tem que ter as coisas, tem que comer bem, morar bem, usufruir do dinheiro que recebe. Porém, precisa aprender a se planejar e a fazer escolhas inteligentes para o seu dinheiro, justamente para que possa comer bem, morar bem e viver bem por muito mais tempo.

Muitas empresas vivem de fachada, de empréstimo em empréstimo, pensando mais em números de vendas do que em receita. Terminam o ano tendo feito muitas vendas, mas quase sem dinheiro. Como pode? São várias as razões para isso, a principal delas é a falta de foco e de planejamento. E isso não acontece só com empresas. Vendedores inexperientes dão mais descontos do que realmente podem e acabam trabalhando de graça. Muitos nem sabem quanto lhes custa preparar o produto que vendem, por exemplo, e, assim, não conseguem calcular o que estão realmente ganhando. Pessoas e empresas gastam mais do que recebem sem terem feito um planejamento para evitar que os gastos excessivos as levem para o buraco.

Virou coisa normal fazer crediário e comprar parcelado. A ponto de algumas pessoas terem vários cartões de crédito e usarem até o limite de todos eles. Isso tem levado muita gente a endividamentos astronômicos. Para amenizar a situação, fazem as piores escolhas possíveis: pagam o mínimo do cartão, entrando no rotativo, usam o limite do cheque especial e depois fazem empréstimos para cobrir. Não caia nessa, ou você vai cavar um buraco com suas próprias mãos para se enterrar.

Se você já caiu nessa, é possível sair. Primeiro, feche a torneira. Depois, conserte o vazamento. Anote todos os seus gastos, até o cafezinho que tomou na esquina. Faça isso por um mês, para entender onde está indo o seu dinheiro. Depois, faça cortes inteligentes (para que você precisa daquele cafezinho na esquina?). Livre-se do vício do parcelamento. Se não tem dinheiro para comprar, não compre. Se precisa muito do item, junte o dinheiro pelos meses necessários e compre. Se realmente não puder esperar e for necessário parcelar, parcele pelo menor prazo possível. E saiba que aquela parcela é um compromisso. Você tem que ter condições de saber exatamente quantas parcelas tem para pagar naquele mês e o valor de cada uma delas.

Um casal que conheço se livrou do vício do parcelamento decidindo que não compraria nada por mais de três parcelas. Antes, eles parcelavam tudo em 10 vezes. Como tinham um limite muito grande no cartão, iam acumulando as parcelas sem sequer se darem conta de que passariam dez meses pagando coisas que dali a dez meses nem existiriam mais. Até as compras do supermercado eram parceladas!

Já atolados em dívidas, começaram a parcelar tudo em três vezes e, claro, o poder de consumo diminuiu muito. Tiveram que apertar os cintos. Agora começavam a ter uma noção do quanto estavam gastando. Com o tempo, gastar à toa perdeu a graça e os dois passaram a fazer escolhas mais inteligentes. A esposa chegou até a ficar dois anos sem cartão de crédito, por vontade própria, até que aprendesse a viver com aquilo que ganhava. Conseguiram retomar o controle de suas contas, aumentar seus recursos e sair definitivamente do vermelho apenas aprendendo a usar a cabeça na hora de escolher como usar seu dinheiro.

Você pode fazer o que quiser com um bom planejamento. Comecei vendendo desinfetante a pé, de porta em porta. Depois o negócio foi prosperando, já estava entregando em hotéis, açougues, lugares em que compravam galões de 5 litros. Começou a ficar complicado entregar sem um meio de transporte, então comprei uma bicicleta de carga e, quando ela ficou pequena, comprei um carro. Foi justamente nessa época que meu pai cortou a ajuda. Todo o dinheiro que eu tinha, investia nas latas de óleo e de leite em pó. Então, quando já tinha acumulado um capital considerável, abri mão do carro e adquiri um comércio com uma casa. Peguei, então, o leite ninho e o óleo, que já formavam pilhas altas na casa da minha mãe e eu nem tinha mais onde guardar, e troquei por outras mercadorias com meu cunhado, que era comerciante. Assim, montei meu primeiro comércio enquanto ainda era adolescente.

Eu já estava planejando isso há muito tempo. Trabalhava e não gastava o dinheiro, ia investindo, e aquele dinheiro ia valorizando. Quem quer sair da situação em que está, planeja, não gasta dinheiro de bobeira. Não importa o salário que você ganha hoje, o que importa é o que você tem feito com ele. Não gaste à toa, não gaste sem pensar, não ande pela cabeça dos outros. Todas as suas despesas têm de ser conscientes. Se quer mudar de vida, invista. Você pode fazer o que quiser com planejamento e investimento, não importam as condições que você tem hoje.

É importante ter um planejamento financeiro, com objetivos e metas definidos. Se for comprar algo, reflita se é mesmo importante para a sua felicidade e qualidade de vida. Junte dinheiro para comprar esse bem, sem fazer dívidas. Você será um E.T. para as pessoas ao seu redor, mas não ligue. Depois, o resultado no longo prazo falará por você.

E, não se esqueça: cuidado com o seu nome. Não o empreste a ninguém. Muitas vezes, as pessoas são obrigadas a pagar por gastos que não são seus. Elas ficam com o nome sujo na praça ou são prejudicadas por causa daqueles a quem emprestaram seus nomes.

Não importa se é parente, amigo, não importa o drama que a pessoa faça. Nome não se empresta. Se você tiver condições e quiser ajudar, vale até comprar para a pessoa, como um presente, sem esperar nada em troca. Mas jamais empreste seu nome.

Não tenha vergonha de dizer "não" a alguém que não tem vergonha de pedir algo que você não pode dar. Você não está duvidando da honestidade da pessoa, está apenas protegendo o que é seu. Pode acontecer qualquer coisa, até fora do controle dela, que a impeça de pagar. Então, diga "não". Se a pessoa realmente gostar de você, não vai deixar de gostar porque você disse não. Se ela condicionar a amizade a isso, desconfie dessa amizade. Eu já disse isso, mas, não custa repetir: às vezes a melhor ajuda que você pode dar a um amigo é permitir que ele sofra as consequências de suas más escolhas. Afinal de contas, é assim que você tem aprendido, não é mesmo?

35° tom: Não tenha medo do fracasso

Algumas pessoas estão tão acostumadas a uma vida linear que, quando pensam em arriscar uma mudança de vida, simplesmente paralisam. Mas as pessoas de sucesso sabem que não sabem de tudo. Elas admitem que podem errar, mas creem que vale a pena correr o risco de acertar.

A pessoa de sucesso não se acomoda à mediocridade. Ela busca se tornar excelente em tudo o que faz. Já dizia um sábio provérbio: "Vês a um homem perito na sua obra? Perante reis será posto; não entre a plebe" (Provérbios 22.29). Como se tornar perito naquilo que faz? A única saída é querer aprimorar, praticando com afinco e aprendendo com os erros seus ou dos outros.

Muitos têm medo do fracasso e, por isso, não arriscam. Isso não faz sentido, porque as pessoas evitam aquilo que temem, não é verdade? Então, se você tem medo do fracasso, a coisa mais lógica a fazer seria evitar o fracasso, isto é, trabalhar com todas as suas forças em direção ao sucesso. Porém, o que as pessoas fazem quando têm medo do fracasso? Nada. Elas simplesmente se escondem e, assim, fracassam. Em outras palavras, correm ao encontro daquilo que temem, porque a melhor maneira de garantir um fracasso é não fazer nada.

Para se libertar de uma vez por todas do medo do fracasso, você tem de entender o que é o medo e o que é o fracasso. O medo é o responsável por grandes desgraças e atrasos de vida. Jó era um homem muito rico, mas ele disse "o que mais temia me sobreveio". Mesmo rico, ele tinha medo. O medo não escolhe classe social, escolaridade, gênero, idade, religião ou etnia. E a família do medo é bem grande. Medo do amanhã, medo do futuro, medo de não dar certo, medo da opinião dos outros, medo de escolher errado... Por mais lógico que o seu medo pareça, ele precisa ser combatido.

O medo é a porta para todo tipo de problemas. É um ímã que atrai a ação do mal. Até cachorro vira-lata vira Pit Bull por causa do medo. Não só porque você o vê maior, mas também porque o seu medo faz com que ele se sinta maior e mais forte do que realmente é. E assim é qualquer situação que você teme. Acreditar no medo fortalece a situação contrária e faz com que tudo pareça muito pior do que realmente é, dificultando sua capacidade de solucionar problemas. O medo diminui você. O medo enfraquece você e tira sua capacidade de reagir com a cabeça.

Todo mundo tem medo. É natural. Porém, o que você decide fazer quando ele aparece é que mostra seu espírito. Acreditar no medo e ficar tentando justificá-lo só fará com que ele cresça e manipule você de tal maneira que, inevitavelmente, aquilo que você teme acaba acontecendo. O namorado ciumento, com medo de ser abandonado pela namorada, começa a persegui-la e, com essa atitude, acaba fazendo com que ela se desinteresse e termine o relacionamento. O funcionário, por medo de perder o emprego, só faz o que lhe mandam. Por não tomar nenhuma iniciativa e sempre precisar ser arrastado para lá e para cá, acaba sendo substituído. O medo paralisa seu raciocínio e o leva a boicotar seus esforços, reagindo da forma mais errada possível e fazendo as piores escolhas.

Mas, então, qual é a melhor maneira de combatê-lo? Por meio da fé. A mãe do medo é a dúvida. "Será que vai dar certo?" "Será que eu consigo?" "Será que isso é para mim?" "Será que eu mereço?"

"Será que ela está falando a verdade?" Assim como a dúvida neutraliza a fé, a fé neutraliza a dúvida. Você não pode ter fé e medo. Ou você tem fé ou tem medo, porque um anula o outro. Quando mergulha na fé e começa a expulsar a dúvida e o medo, você vence.

A maneira como enxerga as coisas nem sempre é a maneira como as coisas são. A realidade tem muito mais a ver com a percepção da nossa mente, a interpretação que ela dá às coisas. A ameaça pode existir diante de seus olhos, mas, ao mudar a forma de encarar a situação e começar a usar a sua fé, você muda a situação.

É possível transformar completamente a situação ao transformar a sua percepção do problema. E você muda a sua percepção do problema ao mudar o significado que atribui ao que vê ou sente. Se, confiando na Palavra que diz que Deus está com você, deixa de entender a situação como ameaça, você ganha uma força que não tinha. Foi mais ou menos isso o que Davi quis dizer, quando escreveu:

"O SENHOR é a minha luz e a minha salvação; de quem terei medo? O SENHOR é a fortaleza da minha vida; a quem temerei?" (Salmos 27.1)

Você pode escolher acreditar no quadro que está vendo, pensando que seu problema é intransponível; ou acreditar que Deus é a sua força e que você vai superar seja lá o que for. Quando tem essa certeza, o medo não resiste. Você volta a ter paz. Esse é o único remédio contra o medo.

E o que é o fracasso? O fracasso é um evento que não deu certo. Preste atenção aqui: é um evento. Uma situação. Um acontecimento. Uma tentativa. O fracasso não é uma pessoa. O problema é que a maioria confunde as coisas. Acha que, se algo não deu certo, ela é um fracasso. Não misture "você" com a situação. Não confunda você com o problema. Ainda que seu negócio fracassasse (ou seja, fosse arruinado sem ter como se recuperar), você não seria um fracasso.

Há uma frase antiga, mas de grande sabedoria, que diz: "Prefiro tentar algo e falhar a tentar fazer nada e ter êxito". Ter êxito em não fazer nada não vai levar você a lugar nenhum. Já o fato de falhar significa que você está em movimento, pois, se falhou, foi por ter tentado fazer alguma coisa. Lembra o que dissemos sobre estar sempre em movimento? Se vai demorar muito ou se vai demorar pouco, não importa. O que importa é que só quem anda vai para frente.

Pare de encarar qualquer erro como fracasso. E pare de achar que o fato de errar diz alguma coisa sobre o seu valor, sobre quem você é. A única coisa que o fracasso pode dizer sobre você é que você é um batalhador, uma pessoa que não desiste. Um daqueles que depois poderão usar essa experiência para deixar sua história de superação ainda mais forte.

História de superação em que a pessoa não precisou superar nada, não merece esse nome, não é mesmo? Se reprovou no teste, se não conseguiu a nota que precisava no seu trabalho de conclusão de curso, se não conseguiu aprender algo de primeira, se não foi escolhido para a promoção, se sua empresa faliu, se você foi demitido...você tem algo a superar! Use isso como motivação para se preparar melhor e insistir. Se alguém vai conseguir, por que não pode ser você?

Muitos afastam o sucesso, talvez por terem crescido acreditando que não o mereciam. Talvez alguém tenha lhe dito isso e agora você inconscientemente foge do sucesso, para provar que aquela "profecia" estava certa. Mas não importa em que você acreditou sua vida toda. Ao ler este livro, você já descobriu que é tão capaz quanto qualquer pessoa. Você tem tantas chances quantas se permitir ter. É hora de lutar contra o sabotador que existe dentro de você. Identifique os sinais do medo do fracasso e tome atitudes contra eles:

Autossabotagem — Desistir ao primeiro obstáculo ou pensar que você não é bom o suficiente é uma forma de não encarar a possibilidade de sucesso. Evitar o trabalho, agir de forma displicente, chegando atrasado ou arranjando desculpas para faltar também é autossabotagem. O antídoto é fazer o contrário do que está sentindo. Se a vontade é de procrastinar aquele relatório, coloque uma meta de, por exemplo, fazer no mínimo uma página. Sente-se e faça, imediatamente.

Seja seu próprio chefe, dê comandos a si mesmo. Não fixe sua atenção nas dificuldades ou na sua capacidade. Você sabe o que fazer. Então, faça, sem gastar energia nos pensamentos negativos. Nesse caso, é melhor não pensar nada do que pensar bobagem. Sua atitude vai mudar seus pensamentos.

Evita coisas novas — Novos projetos, mudanças na empresa, aprender novas coisas, abrir uma nova empresa, abraçar um novo desafio...tudo isso apavora você. Gosta de pensar que as coisas estão sob controle e entende os desafios como verdadeiros terremotos em sua vida.

A melhor estratégia para lutar contra isso é confiar em Deus e saber que todas as novidades e mudanças vêm para aprimorar o seu caráter e suas habilidades. Se o controle da sua vida estiver nas mãos dEle, você pode ter certeza de que não só sobreviverá às mudanças, mas sairá delas como um profissional melhor e uma pessoa melhor. As maiores histórias de sucesso têm um "terremoto" no meio, que ameaçou destruir tudo o que a pessoa conhecia. E do qual ela saiu mais forte. Confie.

Quando alguma coisa não der certo na sua vida, procure pelas lições. Quando um prédio desaba sobre a sua cabeça, você não fica se lamentando debaixo dos escombros. Abre os olhos, percebe que está vivo e já começa a procurar uma forma de escapar. Se encontra uma fresta com um fiapo de luz do sol e percebe que consegue se arrastar até lá, não vai pensar duas vezes. Não importa o tamanho do fiapo de esperança, você vai fazer de tudo para alcançá-lo e usar todas as suas dificuldades como degraus para chegar aonde você quer. É assim que se forma um vencedor. E, se pisar no lugar errado, vai usar aquela experiência para evitar errar novamente.

Errar não é o fim do mundo. O sucesso vale o risco. A zona de conforto, aquele lugar com o qual você está tão acostumado, não é tão confortável assim. Você quer mais da vida. E está certo. Mas, no caminho, terá que lutar contra si mesmo, contra seus medos, contra seus instintos mais irracionais.

Pode ser que alguma porta se feche na sua cara e você não entenda o porquê. Mas, a possibilidade da porta se abrir vale qualquer risco de alguém fechá-la. E, se ela se fechar, pode ter certeza de que outra, maior, irá abrir. Já pensou em quantos fracassos são necessários para se conseguir um acerto? Se todos os que fracassam desistissem, ainda moraríamos em cavernas.

36º tom: O sucesso acorda cedo

Ninguém fica rico dormindo até meio-dia. Há algo que os maiores empresários do mundo têm em comum: eles acordam cedo. A reportagem do jornal inglês The Guardian entrevistou CEOs de grandes empresas, como Hans Vestberg, da Ericsson e Tim Armstrong, da AOL e descobriu que todos acordavam entre 5 e 6 da manhã e tinham uma rotina disciplinada, planejada com antecedência.

Eles não ficam apertando o "soneca" e dormindo "só mais cinco minutinhos". Não! Sabem que começou mais um dia e não podem perder tempo. Eles se levantam rapidamente e vão tomar café, com entusiasmo. Tim Armstrong chegou a dizer que "a vida é empolgante demais para dormir".

Já posso até imaginar alguém dizendo "ah, mas é muito fácil achar a vida empolgante quando se é CEO da AOL, com milhões de dólares no banco. Quero ver achar isso tendo que pegar ônibus lotado ganhando salário mínimo". O problema é justamente achar que ele pensa assim porque é rico, enquanto provavelmente ele só seja rico porque pensa assim. Pode ter certeza de que ele jamais teria chegado onde chegou se no início da carreira fosse do tipo que se arrasta até o escritório, reclamando da vida.

Desde o começo do dia, você deve reagir e se motivar. Não pode esperar que essa motivação venha de fora, não pode esperar que venha dos outros, da situação, da vida, etc. Muitos dizem que não conseguem acordar mais cedo porque dormem muito tarde, ou porque são criaturas noturnas. Mas o problema em muitos casos é que essas pessoas só dormem tarde porque ficam até tarde da noite assistindo televisão, acompanhando redes sociais ou jogando videogame, estimulando demais suas mentes. Assim, se cansam ao extremo e, quando tentam acordar mais cedo, acham que o cansaço veio da falta de sono.

Prepare suas noites. Diminua o ritmo antes de dormir e enfrente o período de adaptação até a mudança de hábito se tornar natural. Pode ser difícil no começo, mas vale a pena tentar. É possível reprogramar seu corpo para dormir apenas o necessário para um sono reparador. Pode começar acordando uma hora mais cedo e tentando dormir mais cedo, também, se for possível. O importante é encarar suas manhãs de forma mais positiva, como uma oportunidade empolgante.

Acordar bem cedo, antes das interrupções, permite que consiga se concentrar e ter paz de espírito para fazer o que for. Terá condições de fazer desde um curso online que você tanto tem adiado, até responder aos seus e-mails, arrumar a sua casa antes das crianças acordarem ou colocar a leitura em dia. Com certeza existe alguma coisa muito produtiva que você não consegue fazer com o escritório cheio, o telefone tocando e pessoas querendo falar com você o tempo inteiro. Escolha uma atividade realmente importante e que exija mais da sua mente ou da sua concentração. Já as outras coisas, que você pode fazer em qualquer horário, faça em qualquer horário.

Talvez você não se torne a pessoa mais popular entre seus amigos se começar a dormir cedo e acordar muito cedo, mas com certeza terá melhores condições de alcançar o sucesso. Segundo o professor Christoph Randler, da Universidade de Educação de Heidelberg, Alemanha, que tem pesquisado os efeitos de se acordar cedo, "se tratando de sucesso nos negócios, pessoas que acordam cedo têm as melhores cartas. Elas tendem a ter melhores notas na escola, o que faz com que entrem em melhores faculdades e as leva a terem melhores oportunidades de trabalho. Também antecipam melhor os problemas e tentam minimizá-los. E são proativas".

Ele diz que é possível uma pessoa vespertina tornar-se matutina, embora seja difícil. Eu creio que essa dificuldade está na ideia fixa que as pessoas têm de que não podem mudar. Qualquer mudança de hábito é difícil, mas praticável. Nada é impossível quando você se decide. Não existe nada mais forte do que o poder da decisão.

Algumas dicas para conseguir acordar mais cedo:

Não se canse demais na noite anterior. Eu sei que existem coisas que são inevitáveis, mas algumas formas de cansaço podem ser evitadas, como filmes muito violentos, músicas agitadas ou comidas pesadas antes de dormir.

Tente ir se deitar um pouco mais cedo. O ideal é fixar um horário máximo, se possível. Se você pode ir dormir antes da meia-noite, faça o possível para conseguir. E mantenha o quarto escuro para garantir que seu corpo produza um hormônio importante para a recuperação do organismo durante o sono, chamado melatonina. Ele ajudará a ter um dia mais produtivo.

Programe seu dia antes de dormir. Anote em uma agenda tudo o que precisará fazer durante o dia, principalmente o que fará logo ao acordar. Isso deixará sua mente mais tranquila para descansar, sem se preocupar com os problemas do dia seguinte. Anote tudo o que vai precisar se lembrar e deixe a agenda ao lado da cama.

Faça uma oração. Agradeça pelo dia que passou e entregue a Deus seu sono, sua família e suas preocupações. Entregue também a programação do dia seguinte, pedindo a Ele que esteja na direção do dia, para que aconteça apenas o que for melhor para você. E tenha certeza que, ao fazer essa oração sincera, Ele irá atender.

Analise quantas horas de sono você realmente precisa. Nem todo mundo precisa das tais oito horas diárias. Analise sua produtividade durante o dia após noites de 6, 7 ou 8 horas de sono para perceber o que funciona melhor para você. O que fizer com que você se sinta mais disposto, com energia e raciocínio rápido, é o que seu corpo precisa.

Programe o despertador sempre para o mesmo horário. Isso vai condicionar seu cérebro a despertar no horário determinado. É melhor não fazer horários diferentes no final de semana, pois pode causar efeito contrário ao esperado e fazer com que você chegue exausto na segunda-feira.

O botão "soneca" não existe. Esqueça essa funcionalidade do seu celular. É uma tecla terrorista que alguém acrescentou para atrapalhar seus planos de acordar mais cedo com todo o entusiasmo que a vida merece.

Acenda as luzes. A luz faz nosso cérebro entender que começou um novo dia. Se o sol ainda não nasceu, acenda a luz do quarto.

Cole uma frase motivadora na parede. Na hora em que ficar tentado a dormir mais, mesmo tendo dormido o suficiente para ficar bem, lembre-se desse versículo: *"Não ames o sono, para que não empobreças; abre os olhos e te fartarás do teu próprio pão"* (Provérbios 20.13).

37º tom: Comece de onde você está

A ideia de que o sucesso está em algum lugar distante de onde você está é errada. Pense no sucesso como um processo, uma estrada que suas atitudes ajudam a construir. Você ainda não tem as condições exatas que gostaria de ter para começar o seu negócio ou para dar uma guinada na sua vida? Faça um exercício de imaginação, você não paga nada por isso. Se precisasse fazer alguma coisa para mudar a sua situação com exatamente os recursos que tem hoje, o que faria? Não aceite "é impossível" como resposta. Tem que ser possível.

Pense em coisas loucas, não se limite. Libere sua imaginação, extrapole as possibilidades para conseguir ampliar sua visão. Você não precisa necessariamente fazer aquilo que pensar nesse exercício, mas deve pensar no máximo de coisas que puder.

Uma mulher, viúva, tinha sido casada com um dos discípulos do profeta Eliseu. Seu marido deixou uma dívida e, segundo o costume da época, se ela não pagasse, os credores levariam seus filhos como escravos. Sem saída, ela veio pedir ajuda a Eliseu.

"*Eliseu lhe perguntou: Que te hei de fazer? Dize-me o que é que tens em casa. E ela disse: Tua serva não tem nada em casa, senão uma botija de azeite.* "(2Reis 4.2)

A primeira resposta que veio à cabeça dela foi: "nada". Porém, ela ainda tinha uma botija de azeite. Na cabeça dela, aquilo era o mesmo que nada. O que ela poderia fazer com uma botija de azeite? Ela ainda não tinha colocado sua imaginação a serviço da fé, para pensar em algo grande. Mas Eliseu pensou. A sugestão foi ousada e até meio maluca:

"Então, disse ele: Vai, pede emprestadas vasilhas a todos os teus vizinhos; vasilhas vazias, não poucas. Então, entra, e fecha a porta sobre ti e sobre teus filhos, e deita o teu azeite em todas aquelas vasilhas; põe à parte a que estiver cheia. " (v.3,4)

Naquela época, o azeite era valioso. Aquela mulher nunca se preocupou em ter muitas vasilhas próprias em casa. Talvez achasse que não merecia ter mais do que tinha. Estava conformada com sua única botija de azeite. Mas Eliseu sabia que ela não só merecia ter muito mais, como também precisava ter muito mais. Sem ter dinheiro, a pessoa fica exposta à escravidão. Sem ter dinheiro, ela acaba comendo na mão dos outros.

Eliseu queria que ela pudesse se sustentar sozinha. Por isso, ao saber do azeite, ele certamente pensou que a vida dela poderia mudar se enchesse muitas vasilhas. Ele não pensou em como faria aquilo, simplesmente permitiu que sua imaginação o levasse de onde ela estava até o resultado ideal.

Tendemos a fazer as coisas na ordem errada. Bloqueamos nossa imaginação ao pensar no "como" antes mesmo das ideias se formarem. Esmagamos as ideias como mosquitos assim que elas começam a levantar voo. Deveríamos deixá-las voar, como as crianças bem pequenas fazem. Se nos dispomos a usar nossa fé, não podemos acorrentá-la aos nossos medos.

Não precisamos ter medo do julgamento alheio, já que nessa fase tudo ainda está dentro da nossa cabeça. Precisamos apenas ter uma ideia de onde queremos chegar. Qual é o resultado que queremos ter? O que queremos construir? Depois de ter a ideia clara em nossa mente, o segundo passo é pensar "o que preciso ter/ser/

fazer para que isso comece a tomar forma?". Então, vamos dando passos em direção ao que queremos. Ainda que pequenos. O azeite se multiplicaria pela fé, ela precisaria apenas preparar tudo para aquela multiplicação.

Foi o que Eliseu fez. Ele partiu daquilo que ela já tinha para imaginar o que poderia acontecer para resolver sua situação. Pensou que se ela tivesse muito azeite, resolveria o problema. Porém, como ela poderia ter muito azeite se não tivesse muitas vasilhas? Ela tinha que se preparar para crescer. Tinha que ampliar sua visão. Tinha que ter coragem para dar um passo maior do que jamais tinha pensado. Em nenhum momento ele se preocupou com o azeite. Em nenhum momento ele pensou em como faria para aumentar aquele azeite. Ele sabia que a multiplicação seria consequência daquela atitude de fé da viúva em obedecer sua palavra e colocar azeite em todas aquelas vasilhas.

Da mesma forma, o dinheiro é um detalhe. As pessoas se preocupam muito com o dinheiro como se ele fosse a finalidade do trabalho. Não é. Ele é mera consequência. O dinheiro vai vir como consequência de sua atitude de fé, de sua forma de pensar e de seu trabalho. Se não precisasse trabalhar, o azeite teria brotado sozinho dentro das vasilhas. Mas ela precisou virar a botija que tinha nas vasilhas.

Deve ter se sentido meio idiota no começo, virando aquela botija que ela sabia não ter azeite suficiente para encher todas aquelas vasilhas. Mas se você ficar pensando que é impossível, não vai conseguir fazer o impossível acontecer. Não se boicote. Simplesmente faça o que tem de ser feito e espere a multiplicação. Sempre espere o melhor. Entenda que o pior às vezes acontece, mas sempre espere o melhor. Logo você verá que esse se tornará o padrão em sua vida.

Sem as vasilhas extras, o azeite não se multiplicaria. E o azeite não se multiplicou antes da primeira vasilha chegar. Sem uma atitude de fé, o impossível não acontece. Se ela quisesse ver a multiplicação do azeite antes de pedir as vasilhas, não seria fé. E nada aconteceria.

Eliseu primeiro disse a ela para pedir vasilhas vazias a todos os vizinhos. Depois, para fechar a porta da casa enquanto agia sua fé. Ainda que algumas pessoas tivessem ajudado com as vasilhas, ninguém precisava saber de seu sonho. Se soubessem, certamente a chamariam de maluca e pensariam que ela perdeu um parafuso depois da morte do marido.

Era óbvio que uma botija (de tamanho inexpressivo o suficiente para ser considerado "nada" por aquela mulher) jamais seria suficiente para encher de azeite muitas vasilhas vazias. Então, para evitar que a dúvida dos outros contaminasse sua fé, ela se fechou em casa e pediu aos filhos que trouxessem as vasilhas emprestadas. Obedeceu àquela ideia maluca e começou a encher as vasilhas...o azeite só parou quando ela encheu a última vasilha. A multiplicação se limita apenas pela sua fé.

O interessante aqui é que ela simplesmente fez o que tinha que fazer, não ficou se questionando, duvidando, arranjando problemas ou reclamando de sua situação. Na hora em que um problema grave se levanta, a única coisa que você pode fazer é se levantar para resolvê-lo. Deus já lhe deu a capacidade de gerar o que você precisa. Você vai esperar mais o quê?

38° tom: Seja humilde

Uma pesquisa surpreendente publicada na revista *Administrative Science Quaterly* apontou a humildade como a principal característica um grande líder. CEOs humildes lideram melhor, ajudam na integração da equipe, criando um ambiente mais agradável e produtivo para todos os níveis.

Isso não é novidade, já que um documento milenar ensina exatamente essa característica. E vai além. Afirma que o humilde não recebe recompensa apenas de sua equipe de trabalho, mas do próprio Deus. "Deus resiste aos soberbos, mas dá graça aos humildes", afirma Tiago 4.6, citando provérbios 3.34.

Se você se mantiver orgulhoso, Deus vai lhe resistir, mas quando você é humilde, recebe o favor dEle. Humildade é reconhecer que não é autossuficiente. Todos que chegaram com humildade, reconhecendo que precisavam do poder dEle, viram Deus se manifestar. A pessoa bem-sucedida sabe que não é melhor do que ninguém e que tem muito a crescer e a aprender. Ela também não tem medo de mudar e não se agarra ao "esse é o meu jeito". Está sempre aberta a melhorar o seu jeito. Uma pessoa arrogante pode até ser rica, mas nunca terá o verdadeiro sucesso.

Humildade não tem a ver com condições socioeconômicas. Muitos se referem a pessoas pobres como "humildes", mas existem pobres orgulhosos e pobres humildes, ricos orgulhosos e ricos humildes.

O mais correto é dizer que as pessoas são humildes ou orgulhosas, independentemente de sua condição financeira. A conta bancária não é a melhor maneira de avaliar se a pessoa é ou não humilde.

O problema com características como arrogância, soberba e orgulho é que, assim como acontece com a inveja, a pessoa que as tem dificilmente consegue identificar e assumir. Por isso, é importante que você trabalhe as qualidades do humilde, mesmo que já se considere assim. No final deste capítulo você vai encontrar um teste, tirado do livro *"Guia de Estudo e Aplicação — Casamento Blindado"*, elaborado por Renato Cardoso. Primeiro, leia todo o capítulo. Depois, faça o teste com muita sinceridade e guarde as respostas em que reconhece que precisa trabalhar mais.

O humilde reconhece seus erros e quer mudar. Ele não se ofende facilmente e não se recusa a ouvir. Também não guarda mágoas. O perdão é uma grande característica dos fortes e bem-sucedidos. Quem não sabe perdoar, não conseguirá se liberar para crescer, pois passará a vida preso à mágoa e ao sentimento de vingança. Isso até motiva algumas pessoas, mas elas não percebem que estão se envenenando aos poucos e destruindo suas vidas. Só quem perdoa consegue crescer e se manter bem-sucedido em todas as áreas.

O perdão é uma escolha. Você não sente vontade de perdoar. Você sabe que precisa perdoar. E, por ser humilde, sabe que também errou muito na vida e precisou de perdão, seja dos outros, seja de Deus. E o perdão que você quer receber, se esforça para dar. Ainda que seja difícil, toma a decisão consciente de perdoar.

E quando você é humilhado? A humildade também é arma para ser usada em caso de humilhação. Quando o orgulhoso é humilhado, ele frequentemente toma as piores decisões. Ele se vitimiza, guarda mágoa, pensa em vingança e, na primeira oportunidade, humilha, também. No entanto, a pessoa humilde reage de outra maneira. Ela ora por aqueles que a maltrataram. Ela quer o bem dessas pessoas. Quer que elas vivam muito para ver que estavam erradas e mudar a forma de enxergar. Quer que elas tenham a oportunidade de mudar de ideia, se quiserem.

A melhor forma de reagir a uma humilhação é com humildade. Isso não quer dizer que deve deixar todo mundo pisar você, mas não vai dar ao problema mais poder do que ele tem. Eu me lembro da história que uma mulher contou no Congresso para o Sucesso, que ilustra isso muito bem.

Ela trabalhava no banco servindo café. Um dos gerentes não gostava dela e não perdia uma oportunidade de diminuí-la na frente dos clientes. Frequentemente dizia que seu café era horrível e que ela não fazia nada direito. A humilhação era tanta que todos percebiam. Porém, quanto mais ele a humilhava, mais ela se motivava a fazer melhor. Não lhe importavam as humilhações, desde que não fossem justificadas. Se ele a humilhasse sem razão, ele é que seria o errado e ela não teria do que se envergonhar.

Em uma ocasião, ele chegou a sair com um cliente, dizendo "vamos tomar café na lanchonete aqui da frente, porque o café dela é horrível". Um dia, esse mesmo cliente chegou e o gerente não estava. Ela o atendeu com a maior educação e lhe serviu seu melhor café. Ele ficou espantado:

— Que café maravilhoso! Por que ele te trata daquela maneira? Eu nunca tomei um café tão bom! — Ela respondeu:

— Não sei. Mas cada vez que ele me humilha, mais gostoso eu faço o café.

Ele não pensou duas vezes. Disse a ela para pedir as contas porque queria contratá-la para trabalhar na loja de cosméticos que iria montar. Além do fixo, igual ao que ela ganhava no banco, ele pagaria comissão. Ela aceitou e trabalhou para ele seis meses. Ao ver a dedicação da nova funcionária em fazer o melhor e tratar da empresa como se fosse sua, ele lhe ofereceu sociedade, pois tinha outras empresas e precisava de alguém de confiança para cuidar daquela. Veja só, em seis meses ela se tornou uma funcionária de confiança! Simplesmente com dedicação e humildade.

Passados alguns meses, ele vendeu a parte dele para ela. Já dona do negócio e prosperando cada vez mais, ela havia mudado toda a sua situação e, consequentemente, sua aparência. Por isso, quando aquela mulher muito bem arrumada saiu de seu carrão e entrou na agência, de óculos escuros, o gerente não a reconheceu. Já diante dele, ela pediu um café, tirou os óculos e, como ele não demonstrou reconhecê-la, perguntou:

— O senhor lembra de mim? Eu trabalhava aqui com o senhor, fazendo café. Quero que cuide da minha conta. Quero lhe agradecer pelo jeito que me tratou, porque se não fosse aquilo, eu não estaria onde estou hoje. Aquilo só me deu forças e não deixou que eu me acomodasse.

Ele ficou muito surpreso e envergonhado, mas ela não disse aquilo para humilhar ou por ter ficado magoada. Pelo contrário. Ela queria dar a ele a chance de enxergar suas atitudes por outro ângulo. Em vez de ficar presa ao que ele fez contra ela, ela simplesmente usou aquelas humilhações como uma vitamina para se fortalecer e permaneceu focada em desenvolver seu potencial.

Se você se fixar no que fizeram contra você, nas humilhações, nas coisas que sofreu sem merecer, estará dando a esses acontecimentos o poder de controlar sua vida e suas escolhas. Porém, se decidir perdoar e seguir em frente, estará tomando de volta o controle da sua própria vida. Você se torna realmente forte quando decide viver por seu código de conduta e educação e não pela vontade de se vingar ou de guardar rancor. Se não permite que essas coisas entrem em seu coração, você é realmente forte.

No livro *Guia de Estudo e Aplicação — Casamento Blindado* há um teste criado por Renato Cardoso para avaliar se você tem sido orgulhoso. Acredito que poderá ajudar àqueles que querem desenvolver a humildade. Seja muito sincero ao marcar suas respostas para poder ter uma ideia clara de sua situação atual:

Teste: você é orgulhoso?

Leia cada número na coluna da esquerda e o seu correspondente na da direita. Por exemplo, em vez de ler a coluna do Orgulhoso de cima a baixo, leia o número 1 e em seguida o número 1 da coluna do Humilde. E assim por diante.

Com toda sua sinceridade, considere qual dos dois descreve melhor a sua pessoa e marque um ponto naquela coluna. No final, some os pontos de cada coluna e o resultado maior mostrará a sua inclinação. (Um empate sugere orgulho perigosamente alto também.)

	ORGULHOSO	HUMILDE
1	Justo aos próprios olhos; crítico, busca falhas nas pessoas	Compassivo; pensa o melhor dos outros
2	Exageradamente independente, autossuficiente	Reconhece sua necessidade de outros
3	Tem de provar que está certo	Disposto a ceder o direito de estar certo
4	Reivindica tudo para si; tem um espírito exigente	Tem um espírito manso
5	Muito preocupado com sua reputação	Nega-se a si mesmo
6	Deseja ser servido	Motivado a servir os outros
7	Deseja seu sucesso a qualquer preço	Motivado a fazer os outros terem sucesso
8	Concentra-se no fracasso dos outros	Tem consciência de sua própria necessidade espiritual
9	Tem ânsia de ser reconhecido (fica ferido quando outros são promovidos e ele ele é ignorado)	Não se julga merecedor (alegra-se quando os outros são exaltados)
10	Muito preocupado consigo mesmo	Totalmente despreocupado consigo mesmo
11	Prefere manter os outros à distância	Se arrisca em aproximar-se das pessoas e amá-las sinceramente
12	Rápido em culpar os outros	Assume a responsabilidade
13	Defensivo quando criticado	Recebe críticas com um espírito humilde e aberto
14	Tem dificuldade em dizer: "Eu estava errado, você me perdoa?"	Rápido em admitir seus erros e buscar o perdão quando necessário
15	Espera que os outros venham a você pedir perdão	Toma a iniciativa de se reconciliar, não importa o quão errada a outra pessoa poderia ter sido
16	Acha que não tem nada do que se arrepender	Percebe a necessidade de uma atitude sincera de contínuo arrependimento
17	Sente-se atacado pelos outros frequentemente	Não leva nada para o lado pessoal
18	Frequentemente se sente injustiçado e perseguido.	Não se sente perseguido e, mesmo quando é injustiçado, perdoa e confia que a justiça prevalecerá.
19	Se ofende com facilidade	Dificilmente se ofende com alguma coisa

Mais pontos na coluna "ORGULHOSO" (ou empate): Caia na real. Se você estiver prestando bastante atenção e for humilde para aprender, a vida lhe ensina. Você ficará mais sábio, independentemente de seu grau de escolaridade. Se for surdo e orgulhoso, porém, a vida o continuará reprovando.

Você pode achar que orgulho tem a ver com autoconfiança, mas muitas vezes ele é um sintoma de insegurança. Ou pode ser excesso de amor próprio, em um nível distorcido. Em qualquer um dos casos, tirar o foco de si mesmo irá ajudar. Pensar nos outros e amar a Deus acima de si mesmo são excelentes antídotos contra o que gera o orgulho.

Esforce-se para ser o melhor e fazer tudo com perfeição — mas nunca para esperar reconhecimento dos outros nem buscar glória própria. Assuma seus erros e se esforce para desenvolver as atitudes de uma pessoa humilde, ainda que no começo não lhe pareça natural.

Mais pontos na coluna "HUMILDE": Mantenha a sua humildade em qualquer lugar ou posição que estiver. Não confunda humildade com baixa autoconfiança. Na verdade, só quem é seguro consegue ser verdadeiramente humilde, pois não ficará se preocupando com o que os outros estão pensando a seu respeito.

Esforce-se para ser o melhor e fazer tudo com perfeição — mas nunca para esperar reconhecimento dos outros nem buscar glória própria. Trabalhe para mudar nos pontos em que identificou orgulho e continue se aprimorando.

39º tom: Faça uma lavagem cerebral

A igreja da qual faço parte, a Universal, é muito perseguida. Por não entenderem nosso trabalho e nossa forma de pensar, algumas pessoas já disseram que fazemos lavagem cerebral em quem chega. Isso porque elas veem alguém chegar cabisbaixo, desanimado, pobre, e sair entusiasmado, crendo que vai vencer. As pessoas falam sem pensar.

O termo "lavagem cerebral" foi usado pela primeira vez em 1950 pelo jornalista Edward Hunter ao ver o estado dos soldados americanos que ficaram presos nos campos de prisão chineses. Eles estavam totalmente do lado dos inimigos, como se suas mentes tivessem sido tomadas. Isso foi conseguido por meio do uso da violência física e psicológica. Eles não tinham tempo para pensar, nem descansar, e a realidade foi totalmente bagunçada dentro da mente deles. De lá para cá, esse fenômeno tem sido estudado a sério e também usado levianamente.

Lavagem cerebral, de uma certa forma, é o que o mundo faz lá fora por meio da mídia corrompida, da cultura que glorifica a negatividade, que não lhe permite pensar, que mostra desgraças, expondo as pessoas a violência psicológica e física, sem descanso, dizendo que sua vida não tem jeito, que se você nasceu pobre tem que morrer pobre.

Obviamente, não fazemos esse tipo de coisa, mas, no sentido literal das palavras, proponho um novo conceito de "lavagem cerebral" que, esse sim, eu aceito que fazemos, o de limpar os pensamentos. Explico: As pessoas chegam sofrendo e com uma visão totalmente distorcida delas mesmas, da vida e do futuro que as aguarda. Lembro do caso de um homem que chegou para aconselhamento no Congresso e contou que estava em casa de madrugada, desesperado, pronto para saltar pela janela e dar fim à sua vida. Como o quarto era apertado, para chegar até a janela ele precisaria subir na cama. Enquanto caminhava pelo colchão, pisou no controle remoto e a televisão ligou justamente na TV Record, no momento exato em que eu dizia: "Você, que está em casa, pensando em se matar, em tirar sua vida, não faça isso. Talvez você pense que seu problema é impossível, mas tem jeito para a sua vida. Venha ao Congresso e se dê essa chance, o que você tem a perder?".

Ele levou um susto! Desistiu de se matar e decidiu fazer mais aquela tentativa. No Congresso, aprendeu que aqueles pensamentos ruins que o levaram a pensar em tirar sua vida eram distorcidos. Eles não correspondiam à verdade, porque não existia apenas uma forma de enxergar as coisas. Ele poderia aprender a olhar o mundo e suas possibilidades pelos olhos da fé. Então, jogou fora a sujeira de sua mente, dos pensamentos. Limpou seus pensamentos daquelas ideias de suicídio, de desânimo, de desespero e negativismo. Mudou sua forma de enxergar a si mesmo e se tornou mais forte que os seus problemas. Em vez de se jogar pela janela, decidiu lutar. E conseguiu recuperar sua vida, retomando o controle de seus pensamentos, que, agora, estavam limpos. — Essa é a lavagem cerebral que nós fazemos.

Muitas pessoas têm chegado até nós com pensamentos errados, pensando que não tem mais jeito, pensando que são fracassadas e que são um peso para seus familiares ou para a sociedade. Pessoas com arrependimentos profundos, que se sentem sujas e desprezíveis e acham que não têm direito a perdão. Pessoas que já desistiram de si mesmas e têm sofrido e feito sofrer.

Você já passou pela experiência de se sujar bastante, chegar em casa suado, com aquela pele pegajosa, e entrar debaixo do chuveiro para um bom banho? Como se sentiu depois? Quando lava seu corpo, você se sente bem. Quando lava uma roupa suja, ela fica mais bonita. Tudo o que você lava fica melhor. Sua vida muda quando você faz uma lavagem em sua mente, tira esses pensamentos sujos, pequenos e que colocam você para baixo.

Limpe sua mente. Limpe as ideias sujas que você tem sobre si mesmo. Elimine as crenças de que você não serve para nada, de que nunca vai ter sucesso ou de que seus negócios não vão crescer mais. Elimine as crenças de que você não vai ser feliz no amor, de que nunca vai ser um bom pai ou uma boa mãe para seus filhos, de que nunca vai conseguir se livrar dos vícios e dos maus hábitos, de que todos os erros que você cometeu significam que você é um erro. Esse tipo de pensamento, que só leva para o buraco, não faz a menor falta.

Nossa proposta é fazer com que você pense por conta própria e perceba o seu potencial e as inúmeras possibilidades que a vida pode apresentar a você se aprender a usar a sua fé a seu favor. Nossa proposta é uma limpeza total nos seus pensamentos e em sua vida. Nossa proposta é que você se torne uma pessoa limpa, com uma vida limpa, que limpe seu nome, limpe seu caráter, limpe seus olhos, limpe seu futuro e tenha uma nova vida. Uma vida limpa.

Com uma visão limpa, você vai viver com mais leveza, vai sofrer menos, vai se torturar menos, vai criticar menos, vai ter melhor convivência consigo mesmo e com os outros. Lembro de uma historinha de uma mulher que falava de todo mundo, criticava todo mundo. Olhava pela janela, via a roupa da vizinha pendurada no varal e ficava horrorizada porque a vizinha lavava tão mal que a roupa estava suja, pendurada para secar.

Olhava para sua própria mesa e reclamava que estava suja, chamava a atenção da empregada:

— Fulana, tem que limpar direito essa mesa!

— Mas eu limpei!

— Limpa de novo, olha isso aqui, limpou que nem sua cara. Você não enxerga? Tem que usar óculos, então! Eu nunca tiro os meus, por isso vejo tudo o que ninguém mais vê.

Claro que todo mundo a achava uma chata, é difícil conviver com uma pessoa assim, e ela era muito sozinha. Um dia, ela esqueceu os óculos em cima da mesa e, a empregada, ao limpar a sala, aproveitou para limpá-los também.

A mulher chegou, colocou os óculos, olhou para as coisas ao redor e se espantou:

— Você limpou tudo direitinho!

Olhou pela janela e ficou mais espantada ainda: a vizinha tinha, finalmente, aprendido a lavar roupa. As roupas estendidas estavam limpíssimas. O mundo parecia até mais claro. Na verdade, a sujeira estava apenas nos óculos dela.

Às vezes é a sua forma de ver o mundo, as situações e a si mesmo que está errada. Às vezes a sujeira está nos óculos que você usa para interpretar as coisas ao redor. Limpe seus olhos e sua mente. Seu mundo começará a mudar.

40° tom: O poder da determinação

Existe algo que une a fé à meta que você estabeleceu. Esse "algo" é a determinação. Muitas vezes resistimos à ideia de assumir uma posição definitiva a respeito de algum projeto. Sabemos que existem infinitas variáveis que podem alterar o curso das coisas e fomos treinados desde cedo a ver o futuro como um projeto do acaso e da sorte. Porém, quando aprendemos o poder de determinar o que queremos que aconteça, descobrimos que nosso futuro depende muito mais do nosso comprometimento com as metas do que de acaso ou situações adversas.

Quando determinamos algo que queremos que aconteça, assumimos um compromisso com esse algo. Se, por exemplo, um vendedor determina que estará entre os três melhores da empresa ainda este ano, ele define uma meta e se compromete com ela. Ele colocará toda a sua força para fazer aquilo acontecer. Não vai desistir se encontrar um obstáculo. Ele determinou o que irá acontecer e, automaticamente, se comprometeu em fazer a sua parte para que aquilo aconteça. É o elo entre a fé e as nossas metas.

Pouca gente tem determinado a vitória. A maioria vive olhando para a situação, para os problemas. Quando aprende a determinar, você também aprende a receber. Não é uma mágica, é uma declaração de compromisso. Você sabe que pode até não acontecer agora ou amanhã, mas vai acontecer, mais cedo ou mais tarde.

A determinação é o resultado de uma fé consciente. Primeiro, você planeja, usa sua imaginação para criar o seu futuro. Depois, passa a crer naquilo que planejou e imagina o que precisa fazer para, partindo de onde está, chegar aonde quer. Determina aonde vai chegar e se compromete com aquela meta. Trabalha dia após dia, visualizando em sua mente o que você quer alcançar e o que você vai fazer até lá. Os passos que vai dar. Se algo sair do planejamento, a sua fé é o que vai sustentar você. Com os olhos fixos em seu alvo, siga adiante sabendo que o que você determinou vai acontecer.

Quando acontecer, você vai se lembrar de que foi você que determinou. Você é culpado pelas suas vitórias e pelos seus fracassos. Você aprende com seus fracassos e os transforma em experiência para alcançar vitórias ainda maiores do que aquilo que imaginou.

Desenvolva o pensamento de um vencedor. Desenvolva o hábito de determinar. Quando determina, você cria o seu futuro. Quando determina, você abre uma trilha pela qual ninguém andou. Quando determinar, não fique repetindo o que determinou. Simplesmente se apodere daquilo que definiu e creia que Deus fará a parte dEle. Seja firme e decidido.

Mas, atenção: obviamente, isso só funciona se aquilo que você determinou é algo justo, correto, ético e legal. Não conte com Deus para coisas ilegais ou erradas. Com Deus não se brinca e a sociedade com Ele só é estabelecida em justiça. Caso o seu projeto seja algo lícito e esteja sendo feito de forma correta, pode ter total tranquilidade para determinar aquilo que você quer e estabelecer esse compromisso com sua meta, consigo mesmo e com Deus.

Saiba, também, que todas as vezes em que determinar alguma coisa, haverá força contrária para aquilo não acontecer. Vence quem é mais forte. Se você está do lado certo, ou seja, se tem um pacto com Deus, se for perseverante e não retroceder, vencerá essa batalha e conseguirá aquilo que determinou. Não espere facilidade, mas espere a vitória.

41° tom: Fora da caixinha

Você já deve ter visto isso. Um homem (ou uma mulher), geralmente no circo, capaz de colocar a cabeça entre as pernas e se acomodar em uma caixa de 50 cm. O público se espanta. Como pode um homem caber dentro de uma caixinha?

Geralmente, o treinamento do contorcionista é duro. Muitos se acostumam a levar seus tendões, músculos e ossos ao limite desde muito cedo, quando tudo ainda é muito flexível. Com anos de prática, os movimentos são praticamente naturais.

Aquele homem se acostumou a entrar naquela caixa, para ele é normal. Assim como o corpo humano tem essa característica de conseguir se acostumar a posições improváveis, a mente humana também tem. O contorcionista a usa para conseguir fazer algo extraordinário, mas seu maior trunfo é conseguir sair daquela caixinha e viver uma vida normal. Se ele passasse a vida inteira dentro de uma caixinha de 50 cm, teria sérios problemas.

A flexibilidade é uma característica boa. É muito positivo conseguir se adaptar a várias situações. O problema é quando ela é usada para se acostumar a situações inaceitáveis. Tem muita gente por aí que se acostumou a viver dentro de uma caixinha e não percebe o quanto é limitada por seu comportamento. Tem gente que já se acostumou a pegar empréstimo, se acostumou a ficar sem dinheiro.

Anos vivendo assim. Se acostumou a ficar no vermelho. Se acostumou a gastar mais do que ganhava. Se acostumou a achar que nunca teria condições de nada. Ou se acostumou a viver contando moedas e tendo a mesma rotina que não deixa tempo para nada e lhe retorna um salário miserável. Se contorce todo para se adaptar a uma vida pequena.

Você só está vivendo dentro dessa caixa porque sua mente está vivendo em outra caixinha. Por que você acha que precisa viver dentro dessa caixinha? Por que fazer todo esse esforço por algo que não lhe dá retorno? Se não está conseguindo nada suficiente na sua profissão, pense em outra coisa para fazer. Abra sua visão. Você pode construir seu próprio caminho.

O problema da caixa é que, dentro dela, a única coisa que você vai conseguir é uma vida limitada. Se você tem passado todos esses anos dentro de um mesmo modelo de vida, fazendo sempre as mesmas coisas e tendo resultados semelhantes, provavelmente não vai mudar isso de uma hora para outra. Mas, se começar a se aplicar para modificar sua visão, seus pensamentos e seu comportamento aos poucos, irá conquistar novos resultados.

O escritor Steve Chandler explica bem o porquê de a caixa não ser o melhor lugar para projetar o futuro: "Todos nós tendemos a examinar nossos desafios de dentro de uma caixa. Levamos em consideração o que fizemos no passado e partimos disso para tentar visualizar o que chamamos de 'futuro'. Mas isso o restringe. Com essa visão limitada, o melhor que nosso futuro poderá ser é um passado novo e aprimorado".

Se você quiser um futuro diferente, com resultados diferentes, terá de aprender a pensar de uma maneira diferente. Tire a sua mente contorcionista de dentro da caixa. Não se adapte ao inaceitável. Não aceite continuar vivendo como todo mundo. Não queira ser como a maioria. Procure descobrir quem você é e o que você faz melhor. O que o faz ser você?

42° tom: Desenvolva sua criatividade

Por não limitar sua imaginação e ver seu mundo como um lugar cheio de possibilidades, a pessoa de sucesso é criativa. As ideias surgem com facilidade para quem está aberto a elas. Mas como estar aberto a ideias?

Encare a vida com leveza e curiosidade, como uma criança bem pequena. A criança quer testar, não fica se censurando o tempo inteiro, não tem medo do que os outros vão pensar, não tem medo do ridículo, não se limita. A criança não vive preocupada, estressada e angustiada. Se errar, tenta de novo. Persiste, até conseguir. Confiança em Deus não combina com preocupação, estresse e angústia.

Tenha um hobby. Não necessariamente para passar o tempo, mas para manter sua mente ativa, leve e livre. Teste várias coisas para descobrir o que você gosta. Brinque com as crianças. Desenhe. Leia livros. Faça jardinagem. Artesanato. Pinte guardanapos. Cozinhe. Escreva. Resolva quebra-cabeças. Existe uma infinidade de coisas bacanas para fazer e que podem ajudá-lo a se soltar e a ter novas ideias.

Sorria mais, mantenha-se em movimento e tenha consciência de que você está avançando. Lembre-se do pacto que fez com o Criador do Universo e fique tranquilo. Está escrito que todas as coisas cooperam para o bem daqueles que amam a Deus. Não desista e saiba que tudo cooperará para o seu bem.

Seja curioso. Impressionante como alguns vendedores querem vender sem ter informação suficiente sobre o produto ou o serviço que estão comercializando. Se o cliente pergunta alguma coisa, o vendedor enrola, deixando o cliente inseguro ou — pior — mente e perde a oportunidade de desenvolver um relacionamento que pode trazer novos negócios no futuro.

Quer se destacar? Descubra o máximo possível sobre o que você faz e nunca pense que sabe tudo. Leia os manuais (deixe de preguiça), todos os informativos, bulas, procure na internet mais informações. Se torne expert no produto ou serviço que você oferece. Não custa muito fazer isso e o investimento vale a pena. Se o seu negócio não é vender, procure descobrir tudo sobre sua área de atuação. Aja como uma pessoa interessada e você convencerá seu cérebro a se interessar. Quando o cliente fizer uma pergunta, sentirá confiança naquele que responder com clareza e objetividade sobre o assunto.

Esteja aberto a aprender coisas novas, a experimentar, a fazer mais que os outros. A pessoa de sucesso se esforça, não fica presa ao pensamento pequeno de "essa não é minha função", "eu não sou pago para isso". Ela faz o melhor em qualquer lugar que estiver. Se é funcionário, trabalha para ser o melhor funcionário. Se é dona de casa, trabalha para ser a melhor dona de casa. Se é patrão, trabalha para ser o melhor patrão. Se é empresário, trabalha para ser o melhor empresário. Faz sempre o seu melhor e, com isso, está sempre atualizado e se aprimorando. Isso o torna interessante tanto como profissional quanto como pessoa.

Confie em Deus e em si mesmo. A confiança é libertadora. É a confiança em seu treinamento que faz o atleta saltar de um trampolim em uma competição de salto ornamental. A confiança em Deus nos faz saltar, figuradamente, mesmo sem saber o que irá acontecer. Quando confiamos, é mais fácil viver com leveza.

Olhe para o mundo e veja quanta criatividade foi necessária para criar tantos animais diferentes, a variedade de plantas, de minerais, cores, formas e funções. Temos parceria com a Fonte de todas as ideias do universo. Não há limites. Assim, nos desvencilhamos do senso comum, que acredita que ideias são coisas que vêm por acaso ou por sorte. Você não precisa "dar uma forcinha" para Deus. Apenas faça a sua parte e Ele fará a dEle.

Não faça nada provisório. É mais fácil encontrar ruínas de um castelo do que restos de um barraco. Não sei se você já teve essa experiência, mas é muito comum as pessoas dentro de casa resolverem consertar alguma coisa e, para poupar tempo ou dinheiro, optam por alguma solução "provisória". O problema é que, depois que o "provisório" se instala, o definitivo nunca vem. Porque as pessoas se acomodam. Ainda que demore mais tempo e que nossa sociedade apressada tenda a criticar quem faz coisas pensando no longo prazo, vale a pena investir um pouco mais e construir o seu castelo. Pense grande. Acredite na visão que você tem.

43º tom: Seja seu amigo

O mundo tenta nos acostumar desde cedo a ter maus olhos com nosso próprio trabalho. Quantas vezes você se autossabotou, ao enterrar uma ideia ou um projeto por colocar defeito nele? Ou então, você coloca defeito em si mesmo. Se acha burro, acha que, por não ter estudo ou boa aparência, não vai ter direito a nada na vida. Olha para o lado e parece que não tem ninguém que o apoie, ninguém para lhe dar uma palavra de ânimo. Talvez você esteja sempre animando os outros, mas não tem ninguém que o coloque para cima.

Por que esperar pelos outros? Seja o amigo que você gostaria de ter. Seja esse amigo para os outros e para si mesmo. Pense no que gostaria que um amigo fizesse por você e faça você mesmo. Não se desvalorize por ter perdido alguma coisa, por algo que não deu certo ou pelo que alguém falou. Seu valor não está naquilo que você tem ou faz. Você vale pelo que é por dentro.

Muitas pessoas nem precisam de inimigos. Elas mesmas são seus próprios inimigos, com os pensamentos errados, atitudes erradas, baixa autoestima. Você se julga um fracasso e diz coisas horríveis para si mesmo. Claro, se você errou, pode se sentir desapontado ou arrependido, isso é normal. Sem reconhecer o erro, não há como mudar, se corrigir e evitar repeti-lo. Mas não é certo ficar se condenando, com pensamentos de acusação, querendo se punir ou se diminuir pelo que aconteceu. Isso não ajuda em nada. Não resolve o seu problema.

Pense nas suas qualidades. Pense nas coisas boas que você já fez. E, se aconteceu algo ruim, aprenda com aquilo e vá em frente. Transforme fatos ruins em experiências positivas tirando deles lições para o futuro. Comece a focar naquilo que diferencia você dos outros.

É impossível que exista um ser humano que não tenha características positivas. Tente descobrir as suas e coloque mais atenção nelas do que em seus defeitos, para conseguir mudar o que o incomoda, reforçando aquilo que você tem de melhor.

Você precisa se conhecer. Reflita sobre suas características positivas, faça uma lista das suas qualidades e habilidades que pode aprimorar. Se quisesse fazer amizade com você, que tipo de perguntas faria? Se quisesse ser seu sócio, que tipo de informações iria querer saber sobre si mesmo? Você é confiável? Se não for, como pode fazer para se tornar? Você é uma pessoa agradável? Se não for, como melhorar? De qualquer maneira, com certeza você tem pontos positivos a seu favor, existem coisas que você sabe fazer melhor do que os outros. Procure desenvolver seus talentos.

Se não se valoriza, como vai valorizar o seu trabalho ou o seu produto? Como você pode querer vender algo que você mesmo ainda não comprou? Muita gente por aí não prospera porque sua insegurança pessoal invade seus negócios e a impede de divulgar o que ela faz. Os clientes, fornecedores e parceiros não têm bola de cristal. Ninguém vai adivinhar a qualidade do que você faz se você não divulgar.

Sabia que o ovo do pato é mais forte que o da galinha? Mas quando você vai ao supermercado, encontra o ovo de quem lá? Da galinha! Já viu como a galinha divulga o seu produto? Ela faz uma propaganda violenta, todo mundo ouve, todo mundo que passa já sabe que ela está botando um ovo. Quanto mais você divulgar seu produto, melhor.

Da mesma forma, valorizar a si mesmo valoriza seu produto, seu negócio, seus serviços, seu trabalho. Tudo o que você deseja receber dos outros, dê a si mesmo e aos outros. Se deseja respeito, respeite primeiro a si mesmo e aos outros. Se deseja reconhecimento, reconheça a si mesmo e aos outros. Se deseja atenção, dê atenção a si mesmo e aos outros. Receber é consequência de dar. E se não for um bom amigo, um bom sócio e um bom colega de si mesmo, será muito difícil conseguir isso dos outros. Se estivesse sendo chamado por seu melhor amigo para ajudá-lo em seu trabalho, como agiria? Você o chamaria de incompetente quando ele errasse? Como seria sua forma de falar? O que faria? Pense a respeito disso e aja assim com você.

44º tom: Esqueça de desistir

A pessoa de sucesso não precisa de pressão para crescer ou colocar força em seu trabalho, mas nem por isso ela se desespera quando a pressão vem. Ela reage à pressão colocando mais força naquilo que faz. Se a ameaça aumenta, ela não regride, sua reação é partir para cima. Ela não se intimida.

Quando meu pai cortou a ajuda financeira por discordar de uma decisão minha, tive que me virar. Eu não pensei em desistir. Se você ficar pensando em desistir, provavelmente, quando a coisa apertar, vai acabar desistindo. Se esquecer de desistir, essa possibilidade não acontecerá. É como aquele casal que casa pensando que, se não der certo, é só separar. Se casar já pensando em separar, pode ter certeza que, ao primeiro problema, é exatamente isso que virá à sua cabeça.

Muitos desistem quando as coisas ficam difíceis. Mas a maior característica de um vencedor é se esquecer de desistir, não importa o que aconteça. Sabe aquela coisa que você nunca consegue fazer porque sempre acaba se esquecendo? Geralmente, é algo a que você não dá muita importância. Ou então até é importante, mas outras prioridades acabam tomando a frente e aquilo vai sendo adiado. Assim deve ser o pensamento de desistir. Você tem coisas muito mais importantes para fazer na sua vida do que desistir. Se encarar seus problemas como desafios e pensar que resolvê-los é uma questão de honra, desistir deixará de ser opção.

Em 1984, o medalhista olímpico Peter Vidmar levou a equipe norte-americana de ginástica artística à sua primeira medalha de ouro. A diferença entre sua performance e a de seus competidores foi minúscula, de apenas alguns décimos. O que fez a diferença? Depois que todos os outros haviam treinado, ele treinava por mais 15 minutos. Aqueles 15 minutos extra lhe deram a vantagem da vitória.

Em vez de querer que o trabalho ou o estudo termine logo para que você possa relaxar e se divertir, fique mais um pouco. Pratique um pouco mais e você terá um resultado melhor. Faça uma aula a mais, ligue para um cliente a mais, leia mais um capítulo, leia um artigo a mais, escreva uma página a mais. Ande um pouco mais. Envie um e-mail a mais. Termine um relatório a mais. Faça mais que os outros e terá o resultado que ninguém mais alcançou.

O segredo disso é uma palavra que alegra a Deus: perseverança. Ela está ligada à confiança. Você só insiste porque confia. Por que a pessoa desiste do casamento ou do emprego? Porque não confia mais. Não vale a pena investir naquilo em que você não confia. A perseverança está ligada à confiança. Quando você confia em Deus, não desiste. Você tenta o tempo que for, até ver o resultado que espera.

Quando persevera, realiza seus sonhos. E, se todo mundo pensar que você vai se dar mal, você crê que vai se dar bem. E, se todo mundo pensar que não vai acontecer, você continua crendo que vai acontecer. Não se trata de pensamento positivo, apenas. Ser positivo é o mínimo que alguém precisa, afinal de contas, o contrário disso é ser negativo. Porém, ser positivo é muito pouco diante do poder de viver por sua fé.

O pensamento positivo está firmado apenas em uma vontade de que coisas boas aconteçam. Já a fé, está firmada na certeza de que a Palavra de Deus (que são os pensamentos de Deus) irá se cumprir. Os pensamentos pequenos e fracos são como uma roupa suja. É o pensamento de que você é pobre, nasceu pobre e vai morrer pobre, por exemplo. Quando usa a sua fé na Palavra de Deus, Ele dá a você uma roupa limpa e troca esses pensamentos pequenos por pensamentos de grandeza e dignidade.

E não sejamos hipócritas de criticar pensamentos de grandeza, porque o contrário deles é um pensamento pequeno e miserável. Ninguém quer ser pobre. Ninguém gosta de ser pobre. Ninguém acorda de manhã pensando: "puxa, que bom que eu não tenho dinheiro para comprar comida!" ou "Que bom que eu preciso contar essas moedas para ver se consigo pegar um ônibus!" ou ainda "É tão agradável ficar dentro desse trem lotado enquanto corro o risco de não conseguir descer na estação que eu quero!". Você pode até estar pobre, mas é uma situação temporária. Pobreza e riqueza são estados temporários. O que define o tempo em que você passará nesses estados e nos intermediários é o que está dentro de você; são os seus pensamentos.

Isso é importante porque se achar que pobreza ou riqueza são condições imutáveis, que fazem parte de sua personalidade ou destino, desistirá ao primeiro sinal de resistência. E, quanto mais tempo ficamos em um determinado estado, maior a resistência que encontramos ao tentar sair dele, como se esse estado fosse uma entidade com vida própria. Claro, ninguém tem interesse em sair de um estado de riqueza e, por isso, não encontramos muitos registros da riqueza resistindo ao fato de alguém querer migrar para outro estado. No entanto, vemos diariamente o quanto pessoas que estão em um estado de pobreza lutam para conseguir chegar do outro lado dessa ponte.

E, como a pobreza vai resistir à sua tentativa de se libertar dela, se a sua reação automática for desistir, não sairá do lugar. Porém, se você se treinar a contra-atacar e lutar até o fim, nenhuma resistência poderá vencê-lo. No momento em que sente que não há mais saída, continue. Mantenha firme a sua fé, porque ela serve para isso, mesmo. A fé é para levantar o ser humano.

É o momento em que você olha para o problema que o afronta e diz, dentro de si: "Minha história não vai terminar assim!" Diga isso ao problema, todos os dias. É a chance que você tem de ter uma experiência que poucos conhecem. Essa fé assusta o mundo porque você começa a crescer em outro ritmo. Ninguém entende. Muitos podem até tentar inventar teorias, por não conseguirem explicar o que está acontecendo. Outros podem tentar parar você, mas não se preocupe. Ninguém conseguirá pará-lo se você estiver determinado a chegar onde quer.

Movido por essa convicção, você experimenta o poder da proteção e da grandeza, vence todos os pensamentos negativos e crê que existe uma saída mesmo sem ver a saída. Assim, é possível se despreocupar de seus problemas e conseguir dormir em paz, mesmo que nenhum deles esteja efetivamente resolvido ainda. Essa, aliás, é uma das características das pessoas que realmente resolvem seus problemas. Elas conseguem manter a tranquilidade no meio do temporal e têm paz de espírito para não entrar em colapso. Se você desmontar, como vai resolver a situação?

Em minhas palestras, recebo pessoas que me dizem que, quando deitam para dormir, conseguem parar o corpo, mas não a cabeça. A mente continua ligada como um motor descontrolado pelo estresse. Isso apenas piora o problema. Faz com que você perca a capacidade de enfrentar a situação e resolver a questão de forma objetiva.

Com esse motorzinho ligado 24 horas por dia, 7 dias na semana, você se transforma em uma esponja de negatividade. Qualquer palavra negativa é absorvida imediatamente e serve como combustível para o motor queimar. Talvez você aceite a palavra negativa para não faltar com educação, mas aí vai uma dica: quando uma pessoa lhe trouxer uma palavra negativa, trate essa pessoa com educação, sim. Mas, dentro de você, trate essa palavra sem educação. Não aceite que ela se instale dentro de você. Jogue a palavra pela janela, sem cerimônia.

O segredo de permanecer avançando de maneira consistente é reagir da forma correta. Você não pode controlar a situação, mas pode controlar sua reação. Muitos perdem oportunidades de vencer por reagir mal. Nossa reação a uma dificuldade mostra como estamos do lado de dentro. Quando Davi chegou a Ziclague e descobriu que sua família havia sido sequestrada, sua reação foi consultar a Deus (veja em 1 Samuel 30.8).

A primeira coisa que você deve fazer ao receber uma má notícia é ir até Deus. Essa estratégia não apenas acalma, mas também lhe permite recuperar suas forças, receber um direcionamento e reagir com a certeza de que conseguirá sobreviver e vencer. Provavelmente por isso, o mesmo Davi escreveu que o justo não se atemoriza de más notícias (em Salmos 112.7). Ele recebeu muitas notícias ruins durante toda a sua vida. E seu espírito permaneceu firme. Por isso, sempre foi um vencedor.

Quando recebemos más notícias, recebemos uma oportunidade de testar nosso espírito, pois mostramos como estamos por dentro. Quando a pessoa se desespera e se descontrola, mostra que não está na fé. Quando procura outra pessoa para se apoiar, também mostra que não está bem espiritualmente. Davi consultou a Deus. É o melhor apoio que você pode ter. O único que tem acesso ao mais profundo do seu ser e pode estruturar suas emoções e fazer com que você permaneça firme em seu propósito de não desistir, haja o que houver.

A reação da vela é diferente da reação da brasa, tanto ao fogo quanto ao vento. Algumas pessoas são como uma vela; você assopra, ela apaga. Outras, são como a brasa; quanto mais assopra, mais acende. A vela derrete diante do fogo. A brasa, se aviva diante do fogo. Você pode perder suas vitórias por uma reação ruim. Mas pode reverter a situação ruim por uma reação de fé. Quem você tem sido? Vela ou brasa?

Como já expliquei, isso não tem a ver com religião. Talvez ninguém nem fique sabendo que você recorre a Deus. Você não precisa andar com uma Bíblia debaixo do braço. Mas eu tenho a obrigação de lhe ensinar o único recurso capaz de mantê-lo firme e inabalável, de uma maneira que você jamais imaginou ser possível. Apoiar sua confiança na Palavra de Deus é ter uma garantia contra qualquer defeito de fabricação da vida e acesso direto ao Serviço de Atendimento ao Consumidor. Basta fazer a ligação por meio da conexão que todos nós recebemos dEle: a capacidade de crer.

45° tom: Observe suas palavras

Você já deve ter ouvido que as palavras têm poder. Isso é mais do que um ditado popular, elas realmente têm. O poder que a palavra tem é tão forte que você pode mudar uma situação completamente, apenas mudando a forma como fala dela.

Não temos controle sobre a maior parte dos acontecimentos. Porém, as poucas coisas que estão sob nossa responsabilidade não podemos deixar ao acaso. Uma dessas coisas é nossa forma de enxergar as situações e de falar sobre elas. Um tom negativo, por exemplo, fará com que a situação inteira se torne negativa, pesada e piore significativamente. Palavras podem tanto construir quanto destruir.

Há uma frase bíblica muito conhecida que diz: "no princípio, era o Verbo". Tudo começou com a palavra. A palavra criou tudo o que existe e, até hoje, ela tem esse poder criador. Cuide as palavras que você diz para as pessoas que estão ao seu redor. Os membros da sua equipe, seu chefe, seus subordinados, seu cônjuge, seus filhos, seus pais...palavras e atitudes constroem relacionamentos. Jamais fale sem pensar. Prefira ficar quieto a dizer algo que vai ferir ou magoar alguém.

Vigie também seus pensamentos. Falamos o que está dentro de nós. Quando entendemos que a palavra tem poder, nos policiamos no que falamos. Porque quem fala está plantando. Tenha isso em mente. Quando você fala, você planta. Tem plantado o que quer colher? Como tem se referido às situações difíceis? Confessa derrota, dizendo que está difícil, que não vai dar certo, que está cada vez mais complicado? Cuidado. Ao usar suas palavras contra você, começa a agir como seu pior inimigo.

Seu subconsciente aceita como verdade aquilo que você repete sempre. Por que, então, não usar essa característica a seu favor e começar a dizer coisas boas a respeito da situação? Todas as situações podem ser vistas de um ângulo mais animador, de que vai dar certo, de que você vai conseguir. Assim, você vai criar as condições para se libertar do problema. E, se não tiver algo bom para dizer, é melhor nem dizer nada.

Se você só olhar para a situação e enxergar o problema, se ficar apenas confessando derrota e dizendo o quanto as coisas estão difíceis, irá condicionar sua mente a olhar sempre o pior lado. Resultado: se houver uma solução, você não irá enxergá-la. Já quem procura ver o lado positivo e acredita que as coisas vão melhorar, se mantém aberto a soluções criativas e ideias inovadoras. As melhores ideias saem das situações mais desafiadoras.

É muito difícil encontrar alguém que tenha virado o jogo confessando derrota. Na verdade, as piores energias negativas que agem neste mundo se alimentam desse tipo de palavra de derrota. Você só vai atrair o que é bom se suas palavras forem boas, se você se esforçar para alimentar sua fé, sua esperança e seu entusiasmo. Lembre-se: aquilo que você alimenta é o que cresce mais.

O ideal é aprender a controlar o que sai da sua boca. Essa é uma habilidade que poucos têm. As pessoas, em geral, dizem mais do que deveriam. Não é à toa que existe um ditado que diz: "O peixe morre pela boca". Muitos pagam um preço caro por causa do que dizem. São pessoas que falam seus projetos antes de que eles aconteçam, que não conseguem ficar caladas, que não conseguem guardar para si. Falam na hora que não devem falar, falam com quem não devem falar. Não aguentam e, por causa isso, se prejudicam.

É o tipo de pessoa que sempre está sendo envolvida em fofocas porque ela fala "A", entendem "B", somam coisas ao que ela falou e ela passa vergonha e humilhações por não conseguir controlar sua língua.

Entenda uma coisa: existem pessoas que não têm vida própria e precisam de informações da vida dos outros para ocuparem seu tempo. Não as alimente com informações sobre a sua vida. É muito melhor que os outros descubram seus projetos quando você já os estiver implementando. É muito melhor fazer seu trabalho em silêncio e deixar que o resultado faça barulho por si. Nem todo mundo vai entender as coisas que você faz, pensa ou diz. E nem todo mundo é obrigado a saber, também. Tenha segurança naquilo que faz. Seja discreto e guarde sua vida para si mesmo.

Quando você conta algo para alguém e essa pessoa não tem a mesma visão que você, ela pode tentar (mesmo de forma bem-intencionada) apagar sua fé e enchê-lo de dúvidas. Tem gente que já perdeu amizade, relacionamentos, empregos, negócios por causa da boca.

Aprenda a ficar calado. Dizem que temos uma boca e dois ouvidos para ouvir mais e falar menos, mas algumas pessoas parecem ter três bocas e nenhum ouvido. Têm uma necessidade incontrolável de falar. Isso não ajuda nos negócios, pois a pessoa do outro lado geralmente está analisando tudo o que diz e poderá usar suas palavras contra você mesmo no futuro. Existem pessoas do seu lado que se apresentam como uma coisa e são outra. Estão doidas para pescar o que acontece na sua vida. Preserve-se. Tenha bons olhos para com os outros, mas seja prudente e discreto, para proteger sua intimidade e sua fé.

As palavras têm tanto poder que ele é visto até na ausência delas. O silêncio é poderoso porque as palavras têm poder. Aprenda a controlar esse poder com responsabilidade. Fale coisas boas a respeito de seus filhos, de seus negócios, de seu casamento, de seu trabalho, de seu futuro e de si mesmo.

Não se deprecie, nem por brincadeira. Não diga para si mesmo palavras que não diria para uma pessoa que você ama. Não declare como definitivas situações ruins que são temporárias. Pense em sua capacidade de se comunicar como um superpoder e o use de forma consciente e bem raciocinada. Aproveite que a sua boca está na sua cabeça. Provavelmente é porque elas devem trabalhar em conjunto.

46º tom: Tenha senso de humor

Até pouco tempo, as pessoas confundiam seriedade com cara fechada. Hoje em dia, não é mais assim. Todo mundo gosta de estar perto de pessoas que encaram a vida com leveza, e isso não é diferente no ambiente de trabalho. É, na verdade, ainda mais necessário. No dia a dia do trabalho, coisas estressantes acontecem, todos estão sobrecarregados com afazeres, prazos, clientes, ordens e projetos, sem contar os problemas pessoais de cada um que, inevitavelmente, interferem no poder de concentração. A última coisa que as pessoas precisam é de alguém amargo e mal-humorado no escritório.

Pelo humor positivo, as pessoas se conectam melhor e até aprendem mais rápido, pois as barreiras e resistências entre o que elas já sabem e o que o professor ensina diminuem consideravelmente. Sabe aquele seu funcionário que não aprende nada do que você tem tentado ensinar pela força? Sempre que você tenta ensinar, fica tão irritado que ele simplesmente se fecha, começa a se achar burro e, assim, nunca conseguirá aprender. Experimente diminuir a tensão entre vocês e lidar com essa situação com leveza, comprometimento e respeito. Provavelmente o resultado será outro.

A ciência já comprovou que o bom humor traz benefícios em todas as áreas da vida e, especialmente, para os relacionamentos interpessoais, já que reduz a ansiedade e o estresse, aumentando a produtividade e a integração. Ser bem-humorado aumenta a produção de beta endorfinas, neurotransmissores com potencial analgésico e que causam sensação de prazer. Além disso, o hábito de rir favorece ideias criativas e aumenta a disposição física e emocional. Também melhora a circulação sanguínea, a pressão arterial e o funcionamento do sistema imunológico, protegendo de diversas doenças.

Há um provérbio que diz "O coração alegre aformoseia o rosto, mas com a tristeza do coração o espírito se abate" (Provérbios 15.13). O coração alegre deixa o rosto mais bonito e, de acordo com pesquisas recentes, um rosto feliz deixa o coração mais saudável. Pesquisadores do Centro Médico da Universidade de Maryland descobriram que o hábito de rir tem relação direta com o bom funcionamento da parede dos vasos sanguíneos e reduz o risco de doenças cardiovasculares. É uma forma de diminuir o impacto da descarga de adrenalina dos dias atribulados e manter um bom nível de endorfinas, mesmo nos mais sedentários.

Por outro lado, pessoas mal-humoradas, que já chegam no escritório reclamando ou que vivem emburradas e confundem cara fechada com seriedade, vivem tensas, estressadas, seu sangue tem dificuldade de fluir pelos vasos sanguíneos, o que prejudica até o raciocínio. Você já viu gente assim. Qualquer coisinha é razão para explodir, para vir com grosseria ou reagir de forma desproporcional.

Uma pessoa dessas pode até ganhar dinheiro ou crescer na carreira, mas nunca vai conseguir ser uma pessoa de sucesso enquanto insistir nessas atitudes. Pode conseguir dos outros uma coisa parecida com respeito, mas, respeito conseguido pelo medo não é respeito de verdade. Nenhuma de suas realizações será bem estabelecida, qualquer terremoto será capaz de colocar tudo abaixo, seja no trabalho, seja na família ou em seu interior. Porque essa amargura traz doenças emocionais e físicas. Já a alegria é capaz de melhorar a saúde. Nos Estados Unidos, pacientes internados nos hospitais que fazem uso da chamada "terapia do riso" melhoram muito mais rápido, reduzindo o tempo de internação.

Isso não significa que você precisa ser o palhaço da turma, nem libera o deboche agressivo. Estamos falando de um senso de humor saudável, respeitoso, de alguém que sabe levar a vida de uma forma leve e tranquila, apesar dos problemas. Isso é uma prova de inteligência emocional, característica procurada nas empresas, especialmente nos níveis mais elevados, em que as pessoas precisam liderar equipes e enfrentar constantes desafios. Quem tem essa habilidade se sai muito melhor em qualquer dificuldade.

Leve as coisas a sério, se comprometa com aquilo que você precisa fazer e não perca a leveza interior. Se as coisas forem pesadas a ponto de parecer que você está arrastando uma carga que acaba sendo descarregada em cima dos outros, não vai adiantar nada. Alegria, paz, leveza e bom humor são o termômetro do sucesso.

Saber rir de si mesmo, saber sorrir para os outros, saber encarar uma dificuldade com bom humor, são algumas características de pessoas que não se abatem por qualquer coisa e que, por isso mesmo, conseguem as maiores histórias de superação. Pode ter certeza que uma pessoa mal-humorada, dramática, rabugenta e negativa nunca vai conseguir alcançar o sucesso pleno, pois não conseguirá aproveitar aquilo que conquistou.

Uma das consequências de ser uma pessoa que sabe cultivar o bom humor é ter um relacionamento melhor com outras pessoas. Você faz bem até àquelas que não o conhecem ao dar um sorriso, por exemplo. A pessoa pode estar chateada, se sentindo para baixo, pode ter passado por situações complicadas e estar abatida, mas quando recebe um sorriso sincero, automaticamente é contagiada com o que você transmite por meio desse pequeno gesto.

Você coloca para fora aquilo que tem dentro de si e atinge em cheio a pessoa naquilo que ela mais precisa. Frequentemente, recebeará de volta um sorriso, significando que causou nela todos os benefícios que você também conquistou com sua atitude mais alegre.

A partir de hoje, comece a ver que não adianta ficar preocupado, alimentar nervosismo, fechar a cara ou brigar com os outros. Encare a vida com leveza, use a confiança em Deus e em si mesmo para conseguir cumprir seus compromissos, aprenda a não se torturar e não torturar os outros se algo não sair como planejado. Mantenha a sua convicção no pacto que fez com Ele e saiba que, se você está se movimentando e trabalhando na direção das suas metas, tudo está sob controle e vai dar certo. E, para transmitir aos outros essa leveza, não se esqueça: Sorria!

47° tom: Torne-se um influenciador

Você é capaz de mudar qualquer ambiente. Infelizmente, as pessoas não sabem disso e vivem a vida no modo automático, simplesmente reagindo aos estímulos que recebem. Assim, se entram em uma sala com pessoas que demonstram frieza e antipatia, automaticamente reagem, se retraindo e retribuindo o mesmo tratamento frio e antipático.

Se você simplesmente reagir na mesma frequência ao estímulo que recebeu, será mais um dos influenciados deste mundo. Em maior ou menor grau, todos nós somos influenciados por alguém. Você pode escolher essas influências, tomando as rédeas de sua vida; ou ser escolhido por elas, se deixando levar pela correnteza dos acontecimentos. Existem muitos influenciados, mas poucos influenciadores.

A pessoa que influencia sabe exatamente o que pensa. Ela tem opinião própria, não vai pela cabeça dos outros. Ela convence os outros sem forçar a barra, porque os ouve. Ela não impõe suas opiniões. Sabe ouvir e se preocupa com as pessoas, se interessa pelos outros. Assim, todos a veem como alguém em quem podem confiar e que não está preocupado apenas com seus próprios interesses.

Quem gosta de comprar de um vendedor que só quer seu dinheiro? Você nunca vai conseguir influenciar alguém baseado naquilo que você quer. Porém, se o seu produto ou serviço for realmente bom e útil para a pessoa, mostre-lhe o benefício que ela irá obter. Mantenha seu foco no que você pode fazer pelos outros, não no que os outros podem fazer por você.

Entenda bem daquilo que você quer vender. Um produto, um serviço, uma ideia, uma proposta...o que isso pode fazer por seu interlocutor? Se você estiver suficientemente convencido de que o que tem a oferecer é realmente bom para a pessoa, o seu entusiasmo e a sua certeza em relação ao que acredita irão influenciar por você.

Quem influencia não hesita. Determina que o projeto vai dar certo e vai em frente, não importa o que aconteça. Se todo mundo estiver contra, não dá atenção a palavras negativas. Não importa se os outros gostam dela ou não, ela gosta dos outros. Escolhe fazer o bem a eles e tratá-los de acordo com seus valores. Não muda seu comportamento pelo mau comportamento dos outros. Não importa se as pessoas a apoiam ou não, ela apoia a quem precisa. Está sempre pensando em dar, não em receber. Sabe que receber é consequência de dar.

Por isso, onde chega, a pessoa de sucesso contagia todo mundo. Mesmo no meio de lutas, não perde as forças e ainda anima todos os que estão ao seu lado. A pessoa de sucesso tem dentro dela uma fonte que sempre gera ideias novas, coisas novas. Todo mundo vê que ela é diferente.

Ao contrário do que muitos imaginam, ninguém exerce influência por meio de ameaças ou pressão. A influência é silenciosa e é fruto de uma atitude positiva em relação aos outros. Você influencia quando sabe ouvir. Influencia quando sabe se colocar no lugar dos outros e quando trata as pessoas com consideração. Influencia quando não pensa apenas em si mesmo. Influencia quando se empenha em fazer o melhor para a equipe, para os negócios, para a família.

Muitos pensam que influenciar tem a ver com falar, mas a melhor comunicação não começa quando falamos, e, sim, quando começamos a ouvir. O influenciador é aquele a quem todos querem ouvir porque foram ouvidos por ele. O influenciador sabe levar em consideração a opinião de todos e pondera com sabedoria.

O influenciador não manipula, ele trabalha para o bem do lugar onde está. Não pensa em seus próprios interesses, mas em encontrar uma solução que seja melhor para todos. O influenciador gera confiança naqueles que o conhecem. Eles sabem que estão diante de uma pessoa de caráter.

Em seu livro *"Como se tornar um líder servidor"*, o consultor James C. Hunter fala algo muito interessante a respeito disso. Ele cita Jesus como o líder mais influente de todos os tempos e diz: "Jesus falava sobre liderar com autoridade. Em essência, Ele dizia que, se alguém quisesse influenciar do pescoço para cima, então devia servir, ou seja, sacrificar-se e procurar o bem maior de seus liderados. A influência deve ser adquirida, não há atalhos. A influência e a liderança legítima são construídas com muito trabalho e sacrifício".

Influência e liderança não são impostas por meio de ordens, manipulação ou força bruta. Isso vale em qualquer lugar. Em um casamento, em uma empresa, na escola, na igreja ou em um time esportivo, um espírito disposto a servir, a doar e a sacrificar é o segredo da influência positiva e de conseguir o que se quer.

Se você trabalhar o seu interior para se tornar essa pessoa confiável, doadora, entusiasmada, honesta, ética e sincera, que sabe ouvir e quer ajudar, pode estar certo de que estará entre os poucos que são capazes de mudar o clima do ambiente em que estão. Seja ele uma sala de reuniões, a empresa em que trabalha, a sua casa ou uma rodinha de amigos.

Por que não decidir ser aquele que espalha entusiasmo e motivação por onde passa? Por que não querer ser luz no meio da escuridão? Por que não escolher ser o sal na comida sem graça da rotina? Traga algo de bom para os que estão ao seu redor, ainda que eles demorem a retribuir. Colhemos o que plantamos e se você plantar influência positiva, colherá os frutos que deseja.

48º tom: Seja independente

Um dos segredos do sucesso é não depender das outras pessoas. Você pode receber ajuda dos outros, pode precisar das outras pessoas em um trabalho em equipe, por exemplo, mas depender, não. Há uma diferença enorme entre precisar e depender. Se você precisa de alguém, o trabalho dessa pessoa é muito importante, você a valoriza e conta com ela, mas, se por algum acaso essa pessoa não aparecer, você não irá desmoronar. Encontrará uma forma de lidar com a ausência e pensará em uma solução criativa para o problema, pois não dependia daquela pessoa, embora precisasse muito dela.

Isso traz liberdade para o seu trabalho. Mas, para conseguir alcançar essa independência, você precisa desenvolver segurança interior. É necessário ter confiança em seu trabalho e saber que você se torna servo daquilo de que depende. Se depende de dinheiro, você é escravo do dinheiro. Se depende das pessoas, você é escravo das pessoas. A única maneira de ser livre é depender de si mesmo e de Deus.

Deus não força você a nada, respeita suas escolhas, lhe dá sabedoria e autonomia. Por isso, é o melhor alvo da sua dependência. Ao depender dEle, você não precisará depender de homem algum.

Se você é funcionário, não dependa do seu patrão, do gerente ou do líder do setor. Claro, você vai respeitá-lo e fazer o seu melhor para atender às demandas, mas não seja aquele funcionário movido a ordens, que só se mexe quando alguém diz o que fazer. Procure algo para fazer. Assuma as responsabilidades. Não fique reclamando que ninguém lhe dá atenção ou que ninguém o valoriza.

Coloque o foco no trabalho que precisa ser feito e não se chateie se as coisas não saírem como o planejado. Um funcionário interessado e proativo faz o seu próprio caminho. Acha melhor que chamem sua atenção por ter feito coisas a mais do que a menos. Ele é a pessoa com quem podem contar. Não espera que lhe digam o que fazer. Prefere aprender a tomar suas próprias decisões.

Uma das maiores portas de entrada das influências ruins na vida de uma pessoa é o hábito de ir pela cabeça dos outros. Quando não tem personalidade própria e vive dependendo da opinião alheia, a pessoa se fragiliza diante dos problemas. Geralmente, fazemos isso com medo de errar. Transferimos a responsabilidade por nossas escolhas aos outros, esperando que isso nos livre de frustrações. Mas, na vida, aprendemos com os nossos erros.

Há quem pense que, por estar com Deus, está livre de errar. A pessoa tem medo de errar, pois imagina que uma falha irá provar que Deus não está com ela. Porém, Deus nunca disse que não erraríamos. Somos humanos, sujeitos a erros. A diferença é que quem está com Deus transforma erros em aprendizado. Quando está com Deus, é impossível que você se torne um fracasso, mas o fato de errar não faz de você um fracassado.

A dependência é uma situação cômoda porque tira a responsabilidade de cima de seus ombros e a coloca sobre os outros, sobre as circunstâncias, sobre coisas que parecem fora do seu controle. Mas é impossível ser completamente feliz quando você depende dos outros. Conheço uma historinha boa para ilustrar isso. Ela diz que uma família vivia na miséria, em uma propriedade rural bem distante. Em um casebre miserável viviam o casal e três crianças pequenas.

Um sábio e seu aprendiz passaram por aquele lugar. Cansados, com fome e sede, eles pediram abrigo àquela família. Foram recebidos com muita hospitalidade. Eram pessoas de bom coração e muito afetuosas. Os dois visitantes foram extremamente bem tratados pelo casal e por seus filhos, que os levaram para conhecer a propriedade.

Quase não havia vegetação no local e a casa estava caindo aos pedaços. Próximo dali, pastava uma vaquinha muito magra, com uma aparência cansada.

— Aquela é a Genoveva, nossa vaquinha. — Contou o homem. — Ela dá o leite que bebemos e usamos pra fazer queijo e coalhada. Também trocamos o leite por outros alimentos na cidade. É assim que a gente sobrevive.

O sábio ficou pensativo. Quando já estavam descansados, agradeceu a hospitalidade e partiu com seu ajudante. Andavam em silêncio na estrada quando disse ao aprendiz:

— Faça-me um favor. Volte lá, pegue aquela vaquinha, leve-a ao precipício e a empurre para baixo.

O aprendiz ficou chocado.

— Não entendo, mestre! Essa vaca é tudo o que eles têm. Sem ela, a família inteira vai morrer.

O sábio repetiu a ordem e ficou parado, esperando. Triste e confuso, o aprendiz obedeceu, mesmo sem entender a crueldade de seu mestre. Alguns anos se passaram e, durante esse tempo, o rapaz se corroeu de remorso. Não conseguia esquecer aquela família e, um dia, decidiu voltar àquele lugar.

Ao se aproximar, levou um susto. No lugar do casebre havia um lindo sítio, com árvores, carro importado, antena parabólica. Ele viu três adolescentes bem vestidos, comemorando algo com o pai. Diante daquela cena, ficou desesperado. A família certamente precisou vender a casa depois de perder tudo. E tudo por culpa dele, que matou a pobre Genoveva. Não devia ter obedecido ao mestre! Como faria para encontrá-los? Aproximou-se e perguntou a respeito da família que morava lá alguns anos atrás. O homem mais velho respondeu:

— Somos nós, com certeza. Nossa família mora aqui há décadas. Em que posso ajudar? — Observando bem, o aprendiz o reconheceu, espantado.

— Como pode ser? Estive aqui com meu mestre anos atrás e vocês viviam na miséria. Como conseguiram tanto em tão pouco tempo?

— Ah, é uma história e tanto! Nós tínhamos uma vaquinha, de onde tirávamos todo nosso sustento. Um dia, ela caiu no precipício e morreu. Acho que estava muito fraca e deve ter escorregado. Então, tivemos que nos virar para sobreviver, desenvolvemos habilidades que não sabíamos que tínhamos, as ideias surgiram, abrimos nosso negócio e começamos a prosperar.

A vaquinha parecia ser a segurança daquela família, mas, na verdade, era o recurso que mantinha aquelas pessoas presas ao mínimo possível para sobreviver. O que tem sido a sua Genoveva? Quando você tira o chão sob seus pés, há duas escolhas a fazer: ou aceita cair e ficar soterrado sob os escombros ou aprende a voar. A reação que você escolhe ter é que vai determinar seu futuro.

A reação à situação é algo que deve partir de você e de mais ninguém. Em momentos cruciais, você pode até pedir conselhos, mas a decisão é sua. O ideal, porém, é que nem peça conselhos. No mundo dos negócios é você e Deus. O que você crê, faça, não consulte ninguém. Se tem certeza do que precisa fazer, faça.

No meio dos conselhos, há sabedoria, mas também há muito achismo. Não há como conhecer a intenção da pessoa ou o que está dentro dela. Se depender de conselhos alheios e for na direção errada, quem irá sofrer as consequências?

Não sei quanto a você, mas eu prefiro sofrer consequências de escolhas que fiz conscientemente a sofrer a consequência de escolhas que fizeram por mim. Ter responsabilidade sobre aquilo que você decide é tomar o leme do barco depois de ter aprendido a pilotar. Muito mais seguro e inteligente.

Se acredita que é capaz, ignore a opinião dos outros e siga em frente. Nem sempre é bom saber o que os outros pensam. Se depende da opinião dos outros para ficar bem, significa que essa mesma opinião é capaz de fazer com que você se sinta mal. Não dê tanto poder assim aos outros. Você está neste mundo para fazer a diferença, para ajudar outras pessoas, para ser um referencial de sucesso. Não tem como fazer isso dependendo da aprovação alheia. Muito menos olhando para os outros.

Não se preocupe com a concorrência. Tem espaço para todo mundo. Faça o melhor trabalho que puder fazer. Invista seu tempo e energia em seu próprio trabalho. Tem gente mais ligada no concorrente do que em si mesmo, isso divide suas forças. Se preocupe em fazer o que precisa fazer e os resultados aparecerão.

49° tom: Cuida do que tem

A pessoa bem-sucedida cuida do que tem — e vê frutos daquilo que cuida. Você deve cuidar dos funcionários, da família, do seu trabalho, enfim, de tudo o que lhe for confiado. Não importa o tamanho daquilo que você tem. Pode ser uma empresa grande ou pequena, pode ser uma equipe grande ou pequena, pode ser um trabalho insignificante ou mesmo algo que você nem queria. Mas, se lhe foi confiado, faça o seu melhor.

Lembre-se que das coisas que temos pode vir aquilo que queremos. Não despreze nada que lhe chegar às mãos. Muitas vezes é seu jeito de resolver os problemas e de lidar com as situações que vai chamar atenção dos outros e de Deus, não necessariamente o projeto em que você está trabalhando.

Nenhuma área é menos importante do que a outra. Não permita que nenhum funcionário se sinta desvalorizado; se ele está na equipe, é porque seu trabalho é importante. Faça com que todos os que trabalham com você saibam que são importantes.

Pode ser que você não esteja na posição que gostaria de estar, mas reclamar e desprezar o que recebeu não o levará aonde você quer chegar. Porém, ao ver o lado positivo da posição em que está e fazer o melhor com o que você tem, estará mostrando o seu valor a si mesmo e a quem mais quiser ver. Se não cuidar do que tem, perderá oportunidades de ouro.

Muitas vezes Deus não nos dá o que queremos de primeira, pois ainda não estamos preparados. Porém, Ele permite que fiquemos em uma espécie de "programa de treinamento" onde desenvolveremos as habilidades de que necessitamos para sermos bem-sucedidos. Valorize isso e faça o seu melhor nesse treinamento. Mostre a Ele que está disposto a fazer mais e a ser melhor. Cuide do seu trabalho e das pessoas ao seu redor como Ele cuidaria.

Respeite seu chefe e se interesse em ajudá-lo. Você está ali para isso e uma das melhores coisas quando se trabalha em algum lugar é ser alguém com quem os outros podem contar. O mesmo vale para seus clientes e colegas. E, se você é o chefe, respeite o funcionário, respeite suas metas, reconheça suas conquistas. De todas as prioridades que você tem, inclusive aquelas que caem em sua mesa no meio do dia com o rótulo "urgente", seus colaboradores estão entre as primeiras. Não se esqueça disso. Saiba identificar o que pode esperar e o que precisa de atenção imediata.

O mesmo se aplica à sua família. Não viva para o trabalho, deixando seu cônjuge e seus filhos em segundo plano. Eles são sua maior conquista. Certifique-se de dar atenção a eles. Dinheiro não substitui atenção. Ainda que seu tempo com eles seja pouco, que seja 100% deles, sem dividir com smartphone, com trabalho extra. Tenha equilíbrio.

Assim como agenda aquela reunião importante com um executivo, agende os passeios ou encontros com sua família. Trate-os como prioridade, pois, se perder trabalho, dinheiro, cargo, posição, pode substituir por outro. Mas um relacionamento é um bem muito mais precioso. Um casamento é um pouco como uma empresa. Relacionamentos dão trabalho e precisam de investimento constante, planejamento, acompanhamento.

Muitos são os que pensam naquilo que querem mudar, que querem construir, mas não pensam em cuidar do que já têm, do que já construíram. As qualidades que você já desenvolveu, as habilidades que já existem em você. Há pessoas que têm dificuldade de definir suas qualidades, porém, encontram seus defeitos com muita facilidade.

Faça um teste. Escreva aqui cinco qualidades suas. Cinco pontos fortes que você já tem. Honestidade? Altruísmo? Paciência? Pense em algumas coisas. Pense no que você gosta de fazer, pense nas coisas que você sabe fazer, pense no que as pessoas o procuram para fazer.

____

____

____

____

____

____

Sem conhecer quem você é, sem entender sua posição neste mundo, sem entender o que já conquistou, será difícil enxergar o que pode alcançar. Por pior que seja a sua situação, você certamente conquistou alguma coisa. Acredite em mim, mesmo se estiver debaixo da ponte, morando nas ruas há muitos anos, sem sapato, com roupas rasgadas, dormindo em um papelão, há alguma coisa dentro de você que pode ser resgatada e cuidada para que cresça e dê frutos para sua nova vida.

Porém, é impossível querer cuidar de algo que você acha que não vale o esforço. Talvez seja esse o seu problema. Por ter dificuldade de enxergar seu próprio valor, não consegue valorizar nada do que conquistou. É como se não merecesse nada e, quando consegue alguma coisa, aquela coisa se transforma em nada, pois, na sua cabeça, é só o que você merece.

Por isso, é importante avaliar suas qualidades. Você é uma pessoa que quer melhorar. Isso, por si só, já é algo raro, que merece ser valorizado, pois a maioria não é assim. Você tem uma vida pela frente. Não importa o que aconteceu até agora, o futuro é um livro com páginas em branco para você escrever com suas escolhas.

Apreciar o que tem não é aceitar e se acomodar. Apreciar é pensar: "que bom que eu tenho isso! E o fato de eu ter isso prova que sou capaz de conquistar mais". O fato de estar em uma situação ruim agora não significa que continuará nessa situação para sempre. Enxergue as situações ruins como momentos de transição e faça o seu melhor onde estiver. Se colocar toda a sua força e cuidar daquilo que tem, você não apenas manterá as coisas boas que conquistou, como também conquistará o que ainda lhe falta. Isso nos leva ao capítulo final...

50° tom: Gratidão

Por um lado, é importante não nos conformarmos com o que temos. Porém, por outro, não podemos deixar que esse inconformismo nos impeça de enxergar o que já conquistamos. Ser grato pelo que se tem não é o mesmo que se conformar com o que se tem.

A pessoa de sucesso valoriza o que alcançou e, principalmente, a sua mudança interior, por menor que ela tenha sido. Cada pequeno passo dado deve ser comemorado e valorizado para motivá-lo a dar o próximo passo. Não viva focado apenas no que ainda não conseguiu alcançar. Ao ser grato pelo que já alcançou, você aumenta sua motivação para alcançar muito mais.

Pense naquilo que você tem. É impossível existir uma pessoa que não tenha nada. Se está lendo este livro, pelo menos vivo você está. Seja grato pela vida que você tem. Você descobriu que pode fazer dela o que quiser. Não importa o que fez até hoje, não importam as oportunidades que deixou de aproveitar nem as condições físicas, financeiras ou educacionais que você tenha. Você pode fazer o que quiser com o seu futuro, se começar a trabalhar agora, ainda que já seja uma pessoa idosa.

Pesquisadores da Universidade da Califórnia descobriram que a gratidão traz benefícios à saúde mental e física. Entre os benefícios estão: a melhora no sistema imunológico, o aumento do progresso em direção a metas pessoais importantes (acadêmicas, profissionais, de saúde, etc.), aumento dos níveis de entusiasmo, determinação, atenção e energia. As pessoas mais gratas também tendem a se cuidar mais e a viver melhor. Uma atitude de gratidão diante da vida aumenta as chances de se obter sucesso em todas as áreas. Muito provavelmente porque essa atitude é o contrário de ficar reclamando e se fazendo de vítima, o que, como já vimos nesse livro, é altamente prejudicial à saúde.

Algumas estratégias para ampliar essa percepção de gratidão incluem observar as coisas ao seu redor, substituindo o impulso de criticar pelo novo hábito de procurar aspectos positivos e elogiar. Se a comida do restaurante estava especialmente gostosa, em vez de apreciar em silêncio, chame o gerente e elogie o cozinheiro. Se o seu funcionário fez um bom trabalho, o elogie com sinceridade. Se a sua esposa passou sua camisa ou se o seu marido colocou o lixo na rua, aprecie o gesto e agradeça.

Não economize um elogio pensando que a pessoa não fez mais que a obrigação. Mesmo o que é obrigação pode ser remunerado com um sorriso, um agradecimento, um elogio, um gesto de apreciação. Isso incentiva a repetição do comportamento.

Você terá mais força para fazer o seu trabalho e perseguir suas metas. E atitudes que você precisa ter para vencer, como entusiasmo, determinação e foco serão potencializadas. Ou seja, sua predisposição para o sucesso aumentará significativamente. E, como o sucesso não depende de sorte, mas, sim, de sua disposição mental e perseverança, você pode ter certeza de que está andando em direção a ele.

Quando deixa de viver em torno de si mesmo e começa a se importar com os outros e em fazer diferença para o mundo, percebe quantas coisas recebemos sem merecer. Não espere se *sentir* grato, simplesmente observe, descubra as coisas gratificantes da sua vida e comece a registrá-las e agradecer por elas.

Conforme for identificando esses motivos, anote (mesmo que pareçam insignificantes). Mantenha um diário de gratidão. É importante escrever para não se esquecer. Isso faz com que você mantenha o foco nas coisas positivas e diminua a importância dos eventos negativos em sua vida.

Diariamente, faça orações de agradecimento. O que realmente funciona é a oração espontânea, que você faz a Deus sem roteiros, como se conversasse com um amigo. Agradeça a Ele pelas coisas que você escreveu no diário, agradeça pelo que tem aprendido, agradeça pelas possibilidades que estão à sua frente, agradeça pelas oportunidades que Ele tem lhe dado, por tudo o que tem acontecido de bom dentro de você e por aquilo que ainda irá acontecer. Se tem praticado o que ensinamos neste livro, não lhe faltam motivos para agradecer.

Colorindo com os 50 tons

Parabéns, você terminou o livro! E agora? O que fazer com tanta informação? Tenho algumas sugestões para que você consiga tirar o melhor proveito possível de tudo o que aprendeu com essa leitura.

Se prestou atenção, deve ter percebido que alguns conceitos de um capítulo se repetiam em outros. Isso acontece porque todas as informações se complementam. O sucesso é resultado de uma sequência de pequenos hábitos positivos que se entrelaçam.

Esses hábitos só podem ser construídos com prática constante. Mudar seus pensamentos, suas atitudes e sua forma de ver o mundo não é um trabalho fácil, mas é totalmente possível. Mantenha o foco no resultado que você quer. Pratique, se esforce. Comemore cada pequena mudança. Se praticar um pouco a cada dia, imagine o quanto terá avançado em um ano!

A mudança não vem da noite para o dia, mas, dando um passo de cada vez, você conseguirá o resultado que deseja. Mantenha este livro sempre à mão, pois pode querer voltar a algum capítulo para rever um tópico em que precise se aplicar mais. Cada pessoa sabe qual é seu ponto fraco e qual o seu ponto forte.

Se quiser aproveitar ainda mais o conteúdo, releia o livro depois de alguns meses de prática. Você absorverá coisas que não tinha conseguido captar na primeira leitura. E, se este livro o ajudou, presenteie um amigo com um exemplar. Compartilhe aquilo que lhe fez bem.

Talvez você tenha concordado com o que leu aqui, mas não consiga *sentir* que essa nova forma de pensar é real para você. Isso é normal. Como passou muitos anos se convencendo de seus pensamentos de fracasso, é natural que estranhe os pensamentos que podem levá-lo ao sucesso. Porém, como já dissemos no livro, nada é mais forte do que a sua decisão. Exercite a sua fé assumindo a nova forma de pensar e agindo como se já sentisse que ela faz parte de você. Ignore a sensação de que o sucesso não é para você e permita-se *agir* de acordo com a visão de mundo que aprendeu neste livro. Os resultados serão surpreendentes.

Continue essa caminhada para o Sucesso. Eu gostaria de saber o que este livro fez por você. Mantenha contato por meio de nossa página no Facebook:

Fb.com/50tonsparaosucesso

Tenho certeza de que este é apenas o início de uma longa e vitoriosa caminhada que faremos juntos. Que a inspiração deste livro transforme sua vida em um referencial de sucesso, para iluminar outras pessoas e multiplicar esta semente. Encerro o livro agora, para que você inicie, com a prática do que aprendeu, o seu ano do Jubileu. A verdadeira liberdade.

Sucesso!

J. Edington

Unipro Editora - www.unipro.com.br
Estrada Adhemar Bebiano, 3.610 — Inhaúma
CEP 20766-720 — Rio de Janeiro — RJ
Tel.: (21) 3296-9300

Agir é um selo da Editora Nova Fronteira Participações S.A., uma empresa do Grupo Ediouro Publicações
EDITORA NOVA FRONTEIRA PARTICIPAÇÕES S.A.
Rua Nova Jerusalém, 345 — CEP 21042-235
Bonsucesso — Rio de Janeiro — RJ
Tel.: (21) 3882-8200 Fax: (21) 3882-8212/8313